Stacey Grewal

La gratitude et *VOS* buts

...pour créér la vie dont vous rêvez!

PERFORMANCE *Edition*

Stacey Grewal

La gratitude et **VOS** buts

...pour créér la vie dont vous rêvez!

Publié par :   Performance Édition
                      C.P. 99066 - CSP du Tremblay
                      Longueuil (Québec) J4N 0A5
                      Canada
Courriel :   info@performance-edition.com
Site Web :   www.performance-livres.com

©2010 Stacey Grewal – Gratitude and Goals
www.gratitudeandgoals.com   www.staceygrewal.com

DISTRIBUTION POUR LE CANADA :
    • Prologue inc.
      1650, rue Lionel Bertrand
      Boisbriand (Québec) J7H 1N7
      Téléphone : 450-434-0306

Distribution européenne : www.libreentreprise.com

©2011 Performance Édition - Tous droits réservés

ISBN 978-2-923746-53-1 (imprimé)
ISBN 978-2-923746-54-8 (epdf)
ISBN 978-2-923746-55-5 (epub)

Traduction : Josée Amesse, Virtuose Communications
Révision : Françoise Légaré
Conception graphique de la couverture et mise en pages : Pierre Champagne infographiste

Dépôt légal 2ième trimestre 2011
Dépôt légal Bibliothèque et Archives nationales du Québec, 2011
Dépôt légal Bibliothèque nationale du Canada, 2011

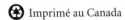 Imprimé au Canada

TABLE DES MATIÈRES

❧❧

PREMIÈRE PARTIE

Vous êtes *le* maître de votre présent et *le* créateur de votre avenir

DEUXIÈME PARTIE

Le grand moment est arrivé....
on passe à l'action!

**Si vous aviez le choix de vivre votre vie actuelle
ou celle dont vous avez toujours rêvé,
que feriez-vous ?**

La décision VOUS appartient...!

AVANT-PROPOS

❧

Paul J. Meyer

Stacey Grewal a une passion et je respecte les gens passionnés. Ce sont eux qui, en poursuivant un but précis avec une détermination farouche, donnent un autre souffle à notre monde chaotique et parfois exigeant. Mais, ce qui m'a le plus intrigué dans La *gratitude et VOS buts,* c'est de voir que Stacey y aborde deux sujets que je trouve passionnants.

La gratitude est un sentiment que bon nombre d'entre nous négligent. Sans vous révéler mon âge, je peux vous dire que j'ai vécu sur cette terre assez longtemps pour parler en connaissance de cause. Je me souviens que mes parents m'ont souvent enjoint d'être reconnaissant pour *tout,* et ce, même pendant les situations difficiles. En fait, c'est quand nous sommes éprouvés que nous devons être le plus reconnaissants, car je vous en assure, il y aura toujours quelqu'un dans une situation pire que la nôtre. Mais surtout, le manque de gratitude mène à l'apitoiement, un comportement débilitant et défaitiste qui vous engloutit et vous empêche de voir le « bon côté » de la vie.

Voici l'idée qu'exprime Stacey à cœur ouvert dans son livre. Confrontée à des défis qui ont changé sa vie, elle admet s'être retrouvée au bord du gouffre, « dans un cycle d'apitoiement, de ressentiment et de blâme ». Puis, elle eut une révélation personnelle qui, selon elle, venait de Dieu (au fait, la spiritualité est une autre passion que nous partageons) : « *Change ta façon de penser et ton comportement... C'est en semant des pensées positives que l'on récolte de belles récompenses... La gratitude est la clé du succès!* »

Grâce à sa nouvelle motivation, Stacey a décidé que la gratitude devait être au cœur de sa vie et, une fois de plus, je partage son avis.

Durant sa carrière en entreprise, elle a compris l'importance de se fixer des objectifs et a découvert une formule gagnante :

Gratitude + Buts = SUCCÈS!

Je ne vous dirai pas exactement pourquoi la formule de Stacey fonctionne, car vous devrez lire son livre pour le découvrir par vous-même. Mais, pour quelqu'un qui a étudié et enseigné les principes de la fixation de buts durant toute sa vie, je peux affirmer avec une totale certitude que *La gratitude et VOS buts... pour créer la vie dont VOUS rêvez!* démontre exactement la bonne attitude à développer et décrit avec précision la bonne façon pour *créer cette vie dont vous rêvez!*

Paul J. Meyer
Fondateur du groupe *Success Motivation International, Inc.*
et de plus de 40 autres entreprises
Auteur à succès du New York Times

PRÉFACE

APRÈS LA PLUIE LE BEAU TEMPS :
L'ORIGINE DE LA GRATITUDE EN RELATION AVEC NOS BUTS

❧❧

« Le succès ne se mesure pas par vos réalisations,
mais par les épreuves que vous avez traversées et par la façon dont
vous avez su triompher des obstacles. »

ORISON SWETT MARDEN

❧❧

J'aimerais vous raconter comment j'ai écrit ce livre. Pour ce faire, je dois d'abord vous parler un peu de moi, de mes origines et du chemin que j'ai suivi pour arriver où j'en suis aujourd'hui. Mais avant de commencer, je dois faire la déclaration suivante :

Le propos de ce livre ne se veut pas religieux. Je ne fais la promotion d'aucune confession religieuse, secte ou institution. Selon moi, vos croyances religieuses n'ont aucune importance. Cependant, j'aimerais que vous sachiez que pour comprendre pleinement le contenu des prochaines pages et en tirer parti, vous devrez faire preuve d'ouverture à la spiritualité. Autrement dit, vous devez être prêt à accepter l'existence d'une force supérieure quelconque. Par souci de simplicité, j'ai choisi Dieu comme modèle de référence.

Encore une fois, sans vouloir offenser quiconque ou faire de la promotion, j'utilise souvent les pronoms Lui, Il, Son ou Sa lorsque je parle de Dieu. Cela ne veut pas nécessairement dire que j'imagine un homme joufflu et barbu assis sur un trône dans les nuages. Il s'agit simplement d'une préférence personnelle. Je ne vous impose pas ma vision d'une force supérieure, mais je vous demande de vous montrer réceptif face à la vôtre. Alors, si mes références ne vous conviennent pas, je vous invite à les remplacer par autre chose (par exemple, Elle, Jésus, l'Univers, l'Intelligence divine, le Grand esprit, Guru, la voie du Bien, le Moi intérieur, la Conscience supérieure, ou tout autre terme que vous préférez).

Maintenant, passons aux choses sérieuses. Qu'en dites-vous ? Le moment est venu pour moi de vous révéler qui je suis. Je pense que si un réalisateur d'Hollywood devait faire un film sur ma vie (d'accord c'est un peu tiré par les cheveux, mais pourquoi pas ?), voici ce que ça donnerait...

Acte 1

Comme bien des gens (et peut-être bien la *majorité*), je viens d'une famille très dysfonctionnelle. Très jeune, je suis devenue une enfant à la clé et j'ai appris à ne compter que sur moi-même. En raison de ma difficulté à m'intégrer, j'étais une solitaire et je préférais jouer avec mes jouets plutôt qu'avec les enfants de mon âge.

Mes relations étaient particulièrement difficiles à l'âge adulte. J'avais constamment peur que la personne que je fréquentais « se réveille » un jour en se rendant compte que je ne valais rien, et d'être abandonnée pour quelqu'un de bien mieux que moi. Mes pensées névrotiques et la piètre estime que j'avais de moi-même ont commencé à avoir raison de moi. Même si je voulais désespérément arrêter de me dénigrer, je n'avais pas la force de me contrôler. Comme je n'avais personne vers qui me tourner, j'ai appelé mon père en lui faisant part de mes sentiments. Il m'a alors dit ceci : « *Chaque fois que ces sentiments surgissent, je veux que tu demandes à Dieu de les effacer.* »

J'efface ces sentiments.

Soucieuse de vouloir changer les choses, j'ai renoncé à mes craintes et j'ai suivi son conseil même si je ne connaissais pas grand-chose sur Dieu. Chaque fois que je me sentais envahie par des idées noires, je répétais plusieurs fois en silence : « *Mon Dieu, s'il vous plaît, effacez ces sentiments.* » Un jour, trois semaines plus tard, j'ai remarqué que les pensées négatives qui me tourmentaient avaient disparu. J'étais libre! Aujourd'hui, je peux dire en toute honnêteté que grâce à Dieu, mon insécurité n'est plus excessive.

Acte 2

En 1997, quelques années plus tard, les choses allaient bon train dans ma vie. J'avais un emploi formidable et j'étais profondément amoureuse. Bien sûr, il fallait que je gâche tout! Je faisais la fête toutes les fins de semaine et je me suis mise à boire beaucoup et en semaine aussi. Je ressentais de l'anxiété et de la panique et, parfois même, j'étais dépressive. Je n'étais plus une buveuse mondaine et amusante, mais je souffrais bien d'un genre de dédoublement de la personnalité. Je n'étais plus la vedette de la soirée. J'étais déchaînée, en colère et même violente envers les autres. Je n'éprouvais plus aucun plaisir à boire, mais je n'avais ni l'envie, ni la volonté d'arrêter. J'ai développé une relation de codépendance avec la bouteille : j'avais besoin d'elle et elle me contrôlait.

Je suis allée voir un médecin pour traiter mon anxiété et mes crises de panique. Elle a essayé de m'aider en me prescrivant des traitements psychologiques, des cours de lutte contre le stress et des médicaments sur ordonnance, mais rien ne s'est révélé efficace. Les choses ont vraiment commencé à se gâter. Après une soirée particulièrement regrettable, j'en avais assez et je ne pouvais plus supporter la douleur. Anéantie et découragée, je me suis agenouillée et j'ai commencé à pleurer. Je poussais des sanglots profonds de désespoir en suppliant : « *Mon Dieu, de grâce, aidez-moi..* »

Puis, j'ai entendu une voix, la plus rassurante que je n'ai jamais entendue, me dire : « *Tout ira bien. Tu vas arrêter de boire et tout ira bien.* »

C'était Dieu qui me sortait des décombres une fois de plus. À ce moment même, tous mes sentiments d'anxiété, de panique, de dépression et mon obsession pour l'alcool ont disparu. Je me suis sentie entièrement protégée, guidée par une force supérieure à la mienne. Durant ce bref instant inattendu, j'ai regagné le contrôle de ma vie et j'ai été délivrée de l'enfer dans lequel je vivais. Ce jour-là, Dieu m'a offert un cadeau bien plus précieux que ma sobriété. Il m'a donné l'espoir et la foi *en Lui*. Quelques jours plus tard, je me suis inscrite à un programme spirituel de rétablissement. Je suis pratiquante et je n'ai jamais été ivre depuis.

J'aurais aimé vous dire que depuis ce jour, j'ai été heureuse et sans souci. Mais ce n'est pas ainsi que va la vie n'est-ce pas ?

Acte 3

En 2006, ma vie a basculé de nouveau. Mon mari a perdu son entreprise, la banque a saisi notre maison et le gouvernement nous réclamait un montant faramineux en impôts rétroactifs. Nous étions endettés jusqu'au cou et par moment, nous avions à peine les moyens de faire l'épicerie. Inutile de dire que financièrement, émotionnellement et spirituellement, j'étais écrasée!

À mesure que les factures s'accumulaient, je restais une mère au foyer sans emploi avec deux enfants sur qui veiller. À vrai dire, je ne pouvais pas travailler même si je le voulais. Les frais de garderie pour deux enfants auraient dépassé mon salaire. Plus je descendais cette pente, plus j'avais l'impression de perdre le contrôle de ma vie. Alors me voilà, à la mi-trentaine avec ce sentiment de trahison et d'impuissance. De plus, je me culpabilisais de ne pas pouvoir apporter une contribution financière. Je me suis retrouvée dans un cycle d'apitoiement, de ressentiment et de blâme. J'en voulais à mon mari parce qu'*il* avait gâché ma vie. J'en voulais à mes enfants parce qu'*ils* m'empêchaient d'évoluer. J'en voulais à ma mère parce qu'*elle* n'avait pas su être un bon exemple. Même si j'avais l'impression d'avoir raison, mes remarques et mes plaintes continuelles ne faisaient qu'empirer la situation.

Puis, j'ai reçu un autre message de Dieu. Cette fois-ci, il était livré dans un DVD intitulé *Le secret*. C'était un message que j'avais déjà entendu auparavant, mais que je n'avais jamais été prête à recevoir. Voici ce que *j'ai entendu* (pas nécessairement dans ces mots exacts)…

TU contrôles toi-même ta destinée. Change ta façon de penser et ton comportement si tu veux améliorer ta vie. C'est en semant des pensées positives que l'on récolte de belles récompenses. Personne ne peut te sauver à part toi-même. La gratitude est la clé de la réussite!

J'ai su tout de suite, avec une clarté intérieure, que si je voulais améliorer ma vie tout dépendait de moi. J'ai pris la décision réfléchie d'arrêter d'accuser tout le monde : fini le ressentiment, les plaintes, l'apitoiement et la négativité. Je me suis mise à repenser à la situation de notre famille et à reconnaître ma part de responsabilité dans ce qui n'allait pas. Au lieu de m'attarder sur la douleur causée par les expériences passées, j'ai recentré mon énergie sur le positif. J'ai commencé à éprouver plus d'amour et moins de haine. Et c'est alors que de façon inattendue, je me suis épanouie.

J'ai redonné vie à mon couple d'une manière que je pensais inexistante. J'ai accepté mon mari pour ce qu'il était : une personne à l'écoute qui, tout comme moi, avait fait des erreurs. J'ai compris que les difficultés que j'avais avec mes enfants venaient de mon propre ressentiment et non d'eux. J'ai pris conscience de la chance que j'avais de les voir grandir. Je suis devenue reconnaissante pour les leçons que ma mère m'a enseignées. Pour la première fois, j'ai compris que je *n'étais* ni mon mari, ni mes enfants, ni mon père, ni ma mère, ni mon passé. J'étais moi et si je voulais vivre une vie formidable, il n'y avait que moi qui pouvais la créer.

J'ai commencé à être reconnaissante chaque jour. En cessant de m'apitoyer, je me suis mise à voir le bon côté des choses et ce simple changement dans ma façon de penser m'a permis de devenir maîtresse de ma destinée. La gratitude m'a donné la confiance nécessaire pour accomplir davantage, me surpasser et obtenir plus. J'ai pu voir que Dieu avait de magnifiques plans pour moi. J'ai reconnu les talents qu'Il m'avait donnés et je croyais fermement qu'avec Lui à mes côtés, j'étais capable de réaliser tout ce qui me tenait à cœur. Cette conviction s'est rapidement transformée en un vif désir de partager avec le monde les principes qui ont non seulement changé ma vie, mais aussi celle de bien d'autres. Alors, sans plus tarder, j'ai décidé de créer un journal quotidien pour aider les autres à faire le même changement positif que moi.

Je n'ai jamais été le genre à suivre assidûment un plan. Je commence toujours très bien un nouveau projet, mais je finis par tout abandonner, car je me disperse au bout de quelques jours, semaines ou mois. Cette fois, j'étais déterminée à changer les choses. Je savais que pour réussir à rédiger mon journal, il me fallait mettre en place une sorte de système pour vaincre mes obstacles habituels (procrastination, paresse et peur, pour n'en nommer que quelques-uns). Selon mon expérience professionnelle en entreprise, je savais que la fixation d'objectifs était efficace même si elle ne l'avait jamais été pour moi. Je trouvais que la plupart des méthodes sur la fixation des buts mettaient trop l'emphase sur des délais ou des échéances et n'expliquaient pas suffisamment *comment* réaliser ces objectifs. J'ai alors décidé d'essayer une autre méthode, *la mienne*.

J'ai créé un programme simple qui explique comment passer à l'action dans la fixation des buts. Il est tellement facile à suivre que même un enfant (ou une personne qui baisse souvent les bras comme moi) peut réussir. En travaillant assidûment chaque jour sur mes objectifs, j'ai vaincu les échecs et les insécurités qui survenaient. Je ne faisais plus partie de ceux qui disaient vouloir réaliser quelque chose... un jour. Je suis devenue une personne qui faisait tout en appréciant chaque instant! Mon désir de créer un journal sur la gratitude s'est transformé en passion. Je voulais offrir aux autres quelque chose de puissant qui les *pousserait* non seulement à vouloir plus dans la vie, mais qui leur offrirait la garantie de pouvoir *atteindre* leurs objectifs en leur donnant la possibilité d'y travailler régulièrement chaque jour. C'est ainsi qu'après plusieurs mois d'écriture et de recherches, le journal quotidien sur la gratitude et nos buts a été créé.

Depuis le début de cette incroyable aventure, mon monde extérieur n'a cessé d'être passionnant chaque jour. Mais, c'est dans mon monde intérieur que je me suis le plus épanouie. La foi, la compassion, l'autonomie et, bien entendu, la gratitude sont tant de choses que j'ai apprises, que je continue de découvrir, et que j'utilise dans ma vie depuis. Grâce à ces principes, aujourd'hui, je suis la seule personne que je pointe du doigt pour définir qui je suis. Je fais mes propres erreurs, je prends mes propres décisions et je suis maîtresse de mes propres réussites. En outre, les sentiments négatifs qui me dominaient autrefois ont été remplacés par de l'assurance, de l'amour et une paix intérieure.

Un petit conseil avant d'aller plus loin : la phrase « ***La patience sans limites donne des résultats immédiats.*** » extraite du livre *Un Cours en Miracles* (Foundation for Inner Peace – Helen Schucman et William Thetford) illustre l'un des merveilleux paradoxes de l'épanouissement spirituel. Si vous vous dites que ce programme vous fera entreprendre un long périple, votre vie commencera à changer immédiatement. Par contre, si vous vous attendez à une solution rapide, vous serez déçu.

Je suis *ravie* que vous ayez choisi de vivre cette expérience avec moi. Il n'est jamais trop tard pour changer votre vie. Arrêtez de perdre *votre* temps précieux. Profitez de l'instant présent, car la vie est très courte!

Avec ma plus profonde gratitude,
Stacey Grewal

REMERCIEMENTS

Le jeudi 26 novembre 2009

Jour de l'Action de grâce (États-Unis – Stacey vivait à San Francisco à l'époque)

Je trouve qu'il est ironique (ou est-ce tout simplement le destin), qu'aujourd'hui, de tous les autres jours de l'année, jour de l'Action de grâce, je sois en train d'écrire un témoignage de reconnaissance à toutes les personnes qui m'ont aidée à écrire ce livre.

En premier lieu, merci mon Dieu, de m'avoir donné l'opportunité d'entreprendre ce merveilleux voyage. Merci d'être à mes côtés et de m'aider dans les bons et les moins bons moments de ma vie. Pour tout cela et pour tout ce que je possède, merci, je n'ai aucune raison de me plaindre.

Le prochain merci est tout à fait spécial et il s'adresse à mes deux adorables fils, Jagger et Kash. Je tiens à ce que vous sachiez que je vous aime inconditionnellement. Jagger, quand j'ai débuté l'écriture de ce livre, tu étais âgé de 3 ans et toi Kash, tu n'avais qu'un an. Vous êtes maintenant respectivement âgés de 6 et 3 ans. Merci de m'avoir permis d'utiliser nos expériences personnelles en tant qu'enseignements pour ce livre. Vous avez tous les deux été d'une grande inspiration pour moi. Et surtout, merci du fond du cœur, de la patience que vous avez montrée dans des moments où j'étais trop occupée pour passer du temps avec vous deux. J'ai tellement apprécié votre compréhension.

Et à toi, Ruby, mon pilier et mon confident, je te voue une gratitude immense. Même si ce fut difficile financièrement à certains moments, grâce à toi, j'ai compris qu'il était beaucoup plus important de poursuivre mes rêves que d'investir du temps et de l'énergie dans un emploi que j'aurais probablement détesté. Tu as toujours cru en moi et en mon projet; tu as respecté le temps que je devais y consacrer et le travail que je devais accomplir. Merci! Nous avons eu à traverser bien des épreuves qui nous ont motivés à « voir grand ». Ne les oublions jamais; ces souvenirs nous aideront à mieux apprécier les bons moments. Je serais ingrate, si à ce moment-ci, je ne remerciais pas la famille entière de Ruby d'être ma famille élargie et d'avoir été aussi conciliante. Merci pour votre amour inconditionnel et votre soutien fidèle.

Maman, merci, de m'avoir aidée à réaliser tous les projets dont j'avais besoin pour devenir la femme que je rêvais de devenir. Papa, merci à toi également, de toujours m'écouter et de m'encourager dans tous mes projets. Tu m'as transmis ta foi en Dieu lorsque la mienne était chancelante et tu as planté des semences de foi en moi, lorsque je n'avais rien à semer.

À Terry, mon grand frère, dont les railleries m'ont divertie tant de fois, je te chéris. En quelque sorte, nous sommes des âmes soeurs sur cette terre. On se comprend de manière instinctive. Je crois en toi. Merci d'avoir toujours cru en moi.

J'offre un remerciement tout à fait spécial à ma grand-maman Aline. À 95 ans, tu possèdes toujours un soif de vivre et un désir de croissance personnelle intense. Tu m'as couvée dans ma jeunesse. Je te voue ma plus sincère gratitude. Même si je ne te téléphone pas très souvent, je t'assure que tu es dans mes pensées et dans mon cœur à chaque jour.

Oncle Mike, merci d'avoir offert en cadeau à notre famille le film *Le secret*, spécialement à un moment difficile de notre vie. Si je n'avais

INTRODUCTION

❧❧

« Chaque matin, nous renaissons.
C'est ce que nous faisons aujourd'hui qui compte le plus. »
BOUDDHA

❧❧

Tic tac. Tic tac. Vous entendez ? C'est le temps qui s'envole…

Vous avez déjà entendu ce son fatidique n'est-ce pas ? Peut-être était-ce à 3 heures du matin pendant que vous vous tourniez et retourniez dans votre lit en cherchant le sommeil. Ou encore quand vos pieds ont touché le sol un lundi matin et que votre cœur vous disait : « Encore une autre de ces semaines de *galère* ». Vous savez que la vie extraordinaire dont vous avez toujours rêvé est en vous et attend d'être vécue. Vous le sentez. Et pourtant, vous avez l'impression que ce n'est pas aujourd'hui que vous allez réaliser vos rêves. Ce sera peut-être demain, ou le mois prochain ou encore l'année prochaine. Et vous entendez le son de l'horloge qui continue de faire tic tac, tic tac.

Malgré cela, vous pouvez changer les choses!

Chaque jour, vous disposez d'exactement 86 400 chances pour changer votre vie. Eh oui! chaque seconde de chaque journée est un nouveau moment! Claquez les doigts et voilà, un nouveau moment! Oh! en voilà un autre! Et un autre! Chaque nouveau moment est littéralement la source d'un pouvoir *infini*. Chaque souffle que vous prenez vous donne l'occasion d'agir avec prudence ou de faire quelque chose de spectaculaire. Les choix que vous avez eu à faire pendant les millions de moments qui ont précédé celui-ci importent peu. CE moment précis *vous* donne le pouvoir de faire un choix différent.

Ce moment *vous appartient*. Comment voulez-vous le vivre ?

La gratitude et VOS buts est un livre composé de deux volets qui, en plus d'être un journal sur l'épanouissement personnel, propose des instructions détaillées *et* prône la gratitude au quotidien ainsi que la fixation de buts. Il s'adresse à tous ceux qui se contentent de vivre une vie banale, d'exercer une profession médiocre ou d'avoir des relations sans lendemain, mais qui savent qu'ils désirent et méritent mieux : un plus grand bonheur, un amour profond, une richesse abondante, une très grande spiritualité, un succès explosif et une paix intérieure. Ceux qui aspirent à être meilleurs et à concrétiser leurs rêves apprécieront ce livre. Il est également destiné à ceux qui veulent constamment atteindre un but avec passion, mais qui n'ont ni le temps, ni le courage de le faire ou qui ne savent tout simplement pas *comment* s'y prendre.

Savoir comment utiliser les merveilleux pouvoirs de la gratitude constitue la clé du succès et de l'épanouissement dans tous les aspects de votre vie.

Et si vous pouviez vous réveiller demain matin ou tous les autres matins de votre vie en étant emballé par votre vie ? Je ne parle pas d'être simplement heureux de vivre, mais bien d'avoir *réellement* envie d'affronter chaque journée. Imaginez que vous ouvrez les yeux et que la première chose qui vous vient à l'esprit soit **« Merci mon Dieu pour cette magnifique journée et pour toutes les occasions qu'elle me présente. »** Voilà ce que je répète chaque jour et que j'appelle la « gratitude ».

Bien que tout le monde comprenne le sens du mot « merci », peu de gens connaissent les précieux avantages d'une vie dictée par la gratitude. Je ne parle pas simplement de la gratitude à l'égard des choses pour lesquelles vous « devez » être reconnaissants, comme le toit sur votre tête et votre pain quotidien, des éléments importants à apprécier. Mais ce que vous ignorez, c'est que le pouvoir de la gratitude va au-delà de l'appréciation de ce que vous avez. Il s'agit d'un mode de vie susceptible de transformer complètement le regard que vous portez sur votre passé, de changer votre comportement actuel et d'avoir une incidence profonde sur votre avenir.

Je sais par expérience que la plupart des gens qui traitent du sujet de la gratitude le font superficiellement lorsqu'ils décrivent cette force puissante. Ce livre analyse la question en profondeur en associant la foi au bonheur et la gratitude à la fixation de buts.

Ce livre s'adresse à ceux qui se sont noyés dans des ouvrages « inspirants » promettant une « réussite sans limites », mais qui continuent de vivre une vie monotone. Je ne connais pas votre position, mais, en ce qui me concerne, je trouve que les livres de « développement personnel » n'ont pas vraiment su tenir leurs promesses et fournir de vrais résultats durables. Eh bien! J'ai le plaisir de vous dire que *ce livre est différent!*

**Les gens reconnaissants sont heureux et confiants,
la gratitude leur permet de se fixer de nouveaux objectifs
et de les réaliser.**

La première partie de ce livre qui s'intitule *Vous êtes LE maître de votre présent et LE créateur de votre avenir* est un manuel pratique qui vous sert de guide spirituel et de mentor personnel. En plus de vous proposer des instructions faciles, des stratégies dynamiques, des exemples et des exercices rapides, il vous aidera à atteindre l'épanouissement physique, émotionnel et spirituel que vous désirez. Il vous explique *pourquoi* la gratitude fonctionne, *ce que* vous devez faire pour éprouver ce sentiment de plénitude, et surtout, *comment* vous pouvez vous fixer de nouveaux objectifs et les réaliser au quotidien, à court et à long terme.

Des études ont démontré que la fixation de buts est une stratégie gagnante! En prenant des mesures axées sur les résultats, vous êtes sûr de concrétiser vos visions et vos rêves. Toutefois, la fixation de buts ne se fait pas en deux temps trois mouvements, car il s'agit d'un *processus*. Dans ce livre, vous apprendrez les étapes à suivre quotidiennement pour éviter les échecs. Si vous aviez l'habitude de baisser les bras, vous deviendrez un gagnant la première fois que vous appliquerez cette méthode.

La pratique journalière de la gratitude combinée chaque jour à la fixation de buts est un mariage parfait. Elles se motivent, se stimulent et s'influencent entre elles, et ce, de façon *harmonieuse*. La gratitude vous procure la confiance et l'inspiration à vouloir davantage, alors que la fixation de buts vous permet de l'atteindre. Chaque fois que vous réaliserez un objectif, vous voudrez en atteindre un autre plus grand et encore et encore. Chaque réussite vous procurera une raison supplémentaire d'approfondir votre gratitude. Vous comprendrez aussi pourquoi bien des gens n'arrivent pas à atteindre leurs buts et ce que *vous* pouvez faire pour éviter les pièges.

En fin de compte, votre richesse ou réussite matérielle importe peu si vous n'êtes pas entièrement satisfait de votre évolution émotionnelle, intellectuelle et spirituelle. Si vous recherchez une vie meilleure, c'est-à-dire *être, accomplir et posséder* davantage, et que vous voulez profiter pleinement de votre réussite au moment où elle se réalise, vous devez commencer à vous améliorer intérieurement.

La gratitude et VOS buts vous transforme complètement l'esprit et le corps, vous aide à mieux vous connaître et à être serein. Ce livre vous aidera à déterminer les éléments qui vont à l'encontre de vos rêves, à vous responsabiliser et vous motivera à changer les choses. Après avoir suivi ce programme pendant quelques semaines, vous constaterez que, dans l'ensemble, votre taux de réussite a augmenté et vous sentirez que pour la première fois que vous êtes vraiment sur le bon chemin.

Le journal quotidien sur la *gratitude et VOS buts* est un plan d'action rigoureux. Des recherches ont prouvé que ceux qui tiennent un journal et qui y inscrivent quotidiennement leur développement personnel jouissent d'un plus grand bonheur, d'un plus fervent espoir, d'un plus grand amour, d'un plus grand enthousiasme, d'une meilleure santé et ils réussissent davantage. Ils font régulièrement de l'exercice et sont, de façon générale, plus optimistes envers chaque jour et aussi à l'égard de la direction que prend leur vie dans son ensemble.

La deuxième partie du livre, le journal quotidien sur *la gratitude et VOS buts*, propose une approche pratique pour ceux qui veulent faire plus que parler de changement ou *lire* à ce sujet. Pour la première fois, un livre vous offre un modèle de journal que vous pourrez photocopier à volonté dans votre journal personnel. Vous devrez remplir une page à chaque jour, ce qui vous permettra de noter les choses pour lesquelles vous êtes reconnaissant, de vous fixer des buts, d'avoir un soutien pour votre épanouissement personnel, de dresser une liste de choses à faire et de suivre vos progrès de près. Le journal est si facile à utiliser que vous avez la garantie d'obtenir de vrais résultats la toute première fois *que vous l'utiliserez.*

Ce journal apporte des solutions à vos problèmes. Il vous stimule à agir et à cesser de vous cacher derrière des prétextes. En comprenant, mais *surtout* en suivant ce programme facile, vous aurez en main tous les outils nécessaires pour bâtir la vie dont vous rêvez et que vous méritez. Toutefois, vous ne devez pas vous contenter de simplement lire ce livre, car il ne fera pas le travail à votre place. VOUS devez faire preuve de détermination pour faire bouger les choses.

En consacrant dix à quinze minutes chaque jour à écrire votre journal quotidien sur *la gratitude et VOS buts,* vous changerez à jamais la façon que vous vivrez votre vie. Les trente premiers jours d'utilisation du journal vous rapporteront bien plus que tout ce vous avez accompli jusque-là avant d'utiliser ce plan d'action. Il vous aidera à transformer votre passe-temps en une carrière, vous démarrerez une entreprise, vous décrocherez un diplôme, vous filerez le parfait amour, vous perdrez dix kilos, vous nettoierez le garage, vous améliorerez votre pointage au golf, vous apprendrez à jouer d'un instrument, vous lirez *Guerre et paix de Tolstoï* ou vous écrirez votre propre livre. Ce journal changera complètement votre vie en vous aidant à connaître le succès et le bonheur dans tous les domaines.

Une vie guidée par la gratitude et la fixation de buts laisse peu de place à la négativité. Lire ce livre et utiliser le journal quotidien sur *la gratitude et Vos buts,* vous donnera le plein pouvoir de prendre les rênes de votre vie. Vos rêves transparaîtront dans votre façon de penser, de ressentir et de vous comporter. Vous apprendrez à reconnaître l'existence d'un Être suprême et vous aurez foi en Lui. Votre perception changera, vos connaissances augmenteront et vous trouverez la force de rejeter toutes les barrières extérieures qui sont une entrave à votre succès. Toutes les pensées autodestructrices qui vous freinaient seront remplacées par une nouvelle attitude positive et un enthousiasme pour la vie. Vous commencerez non seulement à *voir* des occasions se présenter à vous, mais vous les *créerez* vous-même.

Peu importe qui vous êtes ou d'où vous venez, votre âge, votre nationalité, votre formation, votre statut social ou votre éducation, vous pouvez vivre la vie la plus incroyable qui soit, *celle de vos rêves!* Le simple fait que vous puissiez rêver d'une vie en particulier signifie que c'est celle qui vous est destinée. Et le simple fait que vous lisiez ce livre signifie que vous êtes *prêt* à reconnaître toutes vos capacités.

J'ai voulu que ce livre soit court. Tout ce dont vous avez besoin pour créer la vie de vos rêves existe déjà au fond de vous, et cela, même si vous ne vous en rendez pas compte. *La gratitude et VOS buts* est l'outil qui vous aidera à concrétiser vos choix de vie. Tout ce qu'il vous reste à faire, c'est de passer à l'action et agir sans délai!

Il s'agit de *votre* vie. Qu'attendez-vous ?

PREMIÈRE PARTIE

Vous êtes *LE* maître de votre présent
et
LE créateur de votre avenir.

CHAPITRE 1

DIEU NOUS CONFÈRE LE DROIT DE TOUT AVOIR

❧❧

« ...le règne de Dieu est parmi vous. »

Luc 17, 21

❧❧

Comment pouvez-vous savoir si vous êtes *destiné* à être riche ? Eh bien, aimez-vous les belles choses ? Si vous avez répondu « oui », alors vous êtes destiné à être riche. Il en est de même pour l'amour, la santé, le bonheur, la réussite ou toute autre chose que vous recherchez. Si vous pouvez en rêver, alors Dieu désire que vous le réalisiez.

Dieu *veut* que vous soyez heureux. Il *veut* que vous trouviez l'amour. Il *veut* que vous ayez de belles choses. Il *veut* que vous soyez riche, *très riche*. Pas seulement en argent, mais en tout ce que cette Terre a à offrir. Dieu ne nous a pas mis ici pour souffrir. Son intention n'est pas de nous torturer en nous laissant avoir des désirs brûlants sans pouvoir les assouvir. Pourquoi vous aurait-Il donné tant de talents incroyables et de rêves intenses s'Il ne voulait pas que vous en profitiez ?

Dieu vous confère le droit de tout avoir, car vous êtes Son enfant…

- ♥ Vous avez le droit d'être riche.
- ♥ Vous avez le droit de vivre le véritable amour.
- ♥ Vous avez le droit d'exercer la profession de vos rêves.
- ♥ Vous avez le droit de suivre la meilleure formation qui soit.
- ♥ Vous avez le droit d'avoir de belles choses.
- ♥ Vous avez le droit de jouir d'une bonne santé.
- ♥ Vous avez le droit de manger sainement.
- ♥ Vous avez le droit d'épouser qui vous voulez.
- ♥ Vous avez le droit d'être célibataire si c'est ce que vous voulez.
- ♥ Vous avez le droit de voyager et de faire de nouvelles rencontres.
- ♥ Vous avez le droit d'être heureux!

Bien des gens, et plus particulièrement ceux qui ont certaines croyances, pensent que nous devons, par humilité, nous contenter de moins que ce que nous désirons. Ils critiquent ceux qui sont à la recherche d'une vie meilleure. Humilité ne rime pas avec privation, mais signifie que nous reconnaissons que nos talents viennent d'une force supérieure. Minimiser ces talents n'a rien d'héroïque, c'est une insulte à l'égard de Celui qui vous les a donnés.

J'ai une question à vous poser. Lequel de ces deux hommes apporte le plus au monde : le pauvre qui consacre sa vie à aider les moins fortunés de sa communauté ou le riche qui dépense ses millions durement gagnés en aidant des milliers de personnes dans le monde ? Pensez-vous que Dieu aime plus l'un que l'autre ? Cela n'a pas d'importance, car Dieu les aime tous les deux de la même façon, tout comme Il nous aime tous. Et s'ils sont tous deux pleins de bonnes intentions, ils doivent être félicités pour leurs efforts.

Nous voulons tous avoir plus. Plus d'argent, plus d'amour, plus d'amis, plus de connaissances, plus de santé, plus d'enthousiasme, plus de temps, plus de paix intérieure, plus de spiritualité, avoir plus et donner plus. *Plus de tout!* Et il n'y a aucun mal à cela. En fait, c'est tout à fait naturel et c'est exactement ce que Dieu attend de nous. Le monde a besoin que vous soyez riches dans tous les aspects de votre vie. Lorsque nous nous efforçons d'être meilleurs, tout le monde en profite. Lorsque nous arrêtons de vouloir plus, nous arrêtons de contribuer à l'humanité. C'est lorsque nous n'avançons plus dans la vie que nous commençons à mourir.

Peu importe ce qu'on essaie de nous faire croire, nous méritons tous d'avoir les mêmes opportunités et, qui plus est, *nous y avons droit.* Dieu n'a créé ni le racisme, ni les classes, ni les religions. Il n'a rien créé qui puisse diviser Ses enfants. Ces formes d'oppression proviennent des hommes et sont une façon de contrôler et d'anéantir les autres. Le fait est qu'il existe des gens riches, brillants, comblés, issus de différents milieux, de tous les quartiers et de tous les patrimoines génétiques, *incluant le vôtre.*

Vos choix et *non* la chance influencent votre destinée

Votre vie ne dépend nullement de votre sort, de votre histoire, de votre ADN, de vos habitudes ou d'un destin prédéterminé, mais bien *de vos choix.* À partir de maintenant, c'est à vous de choisir le déroulement de votre vie. Vous pouvez choisir d'être soit le conducteur ou le passager, soit le marionnettiste ou la marionnette. Vous pouvez choisir d'être heureux et comblé. Vous pouvez même avoir le contrôle sur vos pensées. Vous pouvez choisir d'être la victime de vos pensées ou de les *utiliser* comme tremplin pour réaliser quelque chose d'extraordinaire.

Dans notre for intérieur, nous voulons tous être les meilleurs, nous dépasser, réaliser nos rêves et laisser notre marque derrière nous. Mais si vous ne vivez pas la vie dont vous rêvez, vous devriez savoir que vous êtes en train de *vous* retenir. Personne d'autre que vous ne peut vous limiter. Vos pensées sont vos seules limites. La vie est faite pour être vécue dans l'abondance. Chacun a droit à une abondance remarquable. Si vous avez l'impression de *mériter moins* que les autres dans ce bas monde alors, vous freinez votre propre avancement.

❧❧

Mais, par la grâce de Dieu, je suis ce que je suis,
et Sa grâce envers moi n'a pas été vaine; mais plus qu'eux tous j'ai
travaillé, non pas moi à la vérité, mais la grâce de Dieu avec moi.

1 Corinthiens 15 :10

❧❧

J'avais déjà commencé à écrire ce livre depuis deux ans quand j'ai été gagnée par la peur que tout mon travail pouvait être une pure perte de temps. Une partie de moi ait confiance en ce que *La gratitude et VOS buts* allait créer pour moi et, bien sûr, j'étais très reconnaissante pour tout ce que ce projet m'apporterait. Malgré cela, je ressentais une certaine insécurité et des doutes m'amenaient à penser que je ne n'étais pas digne de la réussite dont je rêvais.

Même si je faisais les bonnes actions, mon manque de confiance en moi m'empêchait de croire en la réalisation de mon projet. J'avais peur que personne ne veuille lire mon livre parce que je n'avais pas de maîtrise ou de doctorat pour appuyer mon nom ou le type de réputation dont jouissait Jack Canfield ou Tony Robbins. Sans oublier qu'il n'y avait personne dans mon cercle intime qui avait atteint le genre de réussite à laquelle j'aspirais. Mais, pour qui est-ce que je me prenais pour croire que je pouvais me libérer des liens de mon attitude autodestructrice et enfin réussir ?

Je savais qu'il me fallait changer mes croyances et dépasser cette barrière si je voulais recevoir ce qui me revenait de droit. Tout à coup, j'ai reçu une révélation. Comme l'indiquait le docteur Maxwell Maltz dans son livre intitulé, *The New Psycho-Cybernetics*, « le fait de manquer d'estime de soi n'est pas une vertu, mais un vice. Cessez de vous représenter mentalement comme une personne moins habile que les autres en faisant des comparaisons inadéquates. Célébrez chacune de vos victoires qu'elles soient petites ou grandes. Reconnaissez vos forces et utilisez-les. Souvenez-vous toujours que vous n'êtes pas la somme de vos erreurs. »

Depuis, j'ai compris que nous serons toujours récompensés pour la valeur des services que nous rendons. Autrement dit, nous serons récompensés selon ce que les gens sont *prêts* à payer pour nos services. Vous vous dites sans doute : « Qu'en est-il de l'enseignante qui travaille avec tout son coeur et qui n'est pas rémunérée à sa juste valeur ? Et que dire des acteurs d'Hollywood qui reçoivent des millions uniquement pour divertir ? Pourquoi sont-ils payés autant ? C'est tout simplement injuste. » Peut-être trouvez-vous cela injuste, mais il n'en demeure pas moins que la valeur est déterminée par le prix que les gens sont prêts à payer pour obtenir ce service. Malheureusement, la plupart des gens préfèrent payer davantage pour être divertis qu'être formés!

J'ai inventé ce mantra pour m'aider à éliminer mes doutes et changer ma façon de penser : « **Je mérite *tous* les fruits de mon travail** ». Cette simple affirmation m'a permis de changer mon état d'esprit. J'ai commencé à m'attribuer du mérite pour mon éthique de travail et la persévérance dont je faisais continuellement preuve, et ce, avec la plus grande confiance. J'ai *cessé* de me percevoir comme une personne peu méritante. J'ai reconnu que je cherchais seulement à être rémunérée pour mes efforts.

Le texte de Marianne Williamson sur « notre peur la plus grande » résume bien ce à quoi je veux en venir :

> « *Notre peur la plus grande n'est pas d'être inaptes. Notre plus grande peur est plutôt d'avoir un pouvoir incommensurable. C'est notre lumière, non notre noirceur, qui nous effraie le plus.* Nous nous demandons : qui suis-je pour être brillant, formidable, plein de talents, fantastique ? En réalité, pourquoi *ne* pourrions-nous *pas* l'être ? Nous sommes enfants de Dieu. Nous déprécier ne sert pas le monde. Ce n'est pas une attitude éclairée de se diminuer plus qu'on l'est en réalité pour que les autres ne se sentent pas inquiets autour de nous. Nous sommes tous conçus pour briller, comme le font les enfants. Nous sommes nés pour manifester la gloire de Dieu qui est en nous. Cette gloire n'est pas que dans quelques-uns; elle est en nous tous. Et si nous laissons notre lumière briller, nous donnons inconsciemment aux autres la permission que leur propre lumière brille. Si nous sommes libérés de notre propre peur, notre seule présence libère automatiquement les autres de leur peur. »

Huit heures par jour sont huit heures par jour, peu importe ce que vous faites. Certaines personnes passent ce temps à préparer des hamburgers et elles sont payées au salaire minimum pour le faire parce qu'elles pensent ne pas valoir mieux. D'autres personnes gagnent des milliers de dollars en faisant ce qu'elles aiment durant cette même période. Il n'y a absolument aucune différence entre elles. Ces gens travaillent tous selon ce qu'ils croient valoir *et ils sont tous payés en conséquence*. Peut-être êtes-vous en train de vous dire : « Et si l'un avait une maîtrise de Harvard et l'autre était un décrocheur n'ayant même pas fini son secondaire ? » Je suis d'accord avec vous, car il est plus difficile de gagner de l'argent si vous avez un sérieux désavantage. Cependant, comme l'adage le dit si bien : *vouloir, c'est pouvoir!* La question qu'il faut vous poser ici est : *qu'est-ce que je veux ?*

Si nous avions l'occasion de gagner des millions de dollars, d'avoir un conjoint parfait ou une entreprise prospère en pesant simplement sur un bouton, la plupart d'entre nous appuierions allègrement sur ce bouton. Cette pensée n'est ni plus ni moins que de rêver en couleurs. Pour réussir dans la vie, il faut faire des efforts. Les personnes qui semblent avoir tout ce qu'elles désirent l'obtiennent en décidant de leur destinée, sans attendre tout du ciel et elles concrétisent elles-mêmes leur réussite.

L'auteur Robert Kiyosaki dans son livre *Père riche, Père pauvre* nous dit que la plupart des gens ne deviennent pas riches parce qu'ils tiennent à recevoir un chèque de paie régulièrement. Plutôt, ils s'impliquent dans le processus d'apprentissage visant à devenir plus avisé sur le plan financier. Il existe plusieurs façons de se hisser vers une réussite exceptionnelle sans avoir de diplôme ou d'aide de quiconque. Vous devez croire que vous le méritez et *entreprendre* les actions appropriées pour y arriver. Si vous désirez quelque chose à un point tel où vous êtes prêt à tout pour l'obtenir, cela veut dire que vous la méritez (en autant que vous ne faites de mal à personne, bien entendu). Toutefois, vous remarquerez que j'ai dit « si vous désirez quelque chose à un point tel que *vous êtes prêt à tout pour l'obtenir.* » Ce désir à l'intérieur de vous est une façon qu'a Dieu de vous dire : « Allez, vas-y, tu es CAPABLE! »

Les pensées, et *non* les gens, mènent le monde

Tout le monde s'entend pour dire maintenant que la pensée crée et contrôle tout, même la réalité. La pensée crée des émotions de haine et elle crée aussi l'amour. Elle crée le ressentiment et elle peut également créer le pardon. Une guerre et une bonne action n'ont jamais été faites sans qu'il n'y ait eu une pensée à l'origine de cette guerre ou de cette bonne action. La pensée crée des molécules dans notre corps qui peuvent soit nous aider, soit nous nuire. Nos pensées, ou plus précisément, *notre perception de celles-ci,* peuvent créer des émotions de bonheur et de bien-être tout comme elles peuvent créer la maladie.

Vue de l'extérieur votre vie n'est qu'un simple miroir de ce que vous pensez et ressentez à l'intérieur de vous. Prenez quelques minutes pour examiner votre manière d'interagir avec le monde. Dans la vie, êtes-vous une personne joyeuse et libre ? Ou bien, ressentez-vous souvent de la frustration ? Êtes-vous souvent en train de vous plaindre au sujet de telle où telle chose ? Si vous avez tendance à entretenir un état intérieur négatif, il y a de fortes chances pour que vous voyiez votre vie et le monde qui vous entoure comme étant injustes et cruels. Si vous êtes plus souvent qu'autrement positif et motivé, vous voyez le monde qui vous entoure comme regorgeant d'infinies possibilités et d'amour.

Pour sa part, Norman Vincent Peale dans son livre *La puissance de la pensée positive* indique que le fait de changer nos pensées nous aide à changer notre monde. Vos pensées peuvent littéralement attirer les gens, les choses et les événements qui sont sur la même fréquence que la vôtre : **« Nous attirons ce que nous sommes »**. Si vous vous concentrez sur les aspects négatifs de votre vie, vous continuerez à créer et à obtenir des résultats encore plus négatifs. Lorsque vous vous concentrez sur les choses positives, vous créez ainsi et vous attirez encore plus de choses positives. Vous avez le pouvoir absolu sur tout ce qui se passe entre vos deux oreilles. Vous êtes *la seule* personne qui puisse choisir vos pensées.

Nos pensées et nos émotions sont intimement reliées. Nos pensées *engendrent* nos émotions; elles altèrent également notre façon de les *interpréter.* Lorsque vous pensez à vos dettes, vous vous sentez d'une certaine façon. Lorsque vous pensez à votre chien préféré, vous vous sentez autrement. Si vous voulez changer vos émotions, vous devez premièrement changer vos pensées à leur sujet. Les pensées positives engendrent des émotions positives qui, à leur tour, produisent des résultats positifs. C'est d'abord notre état intérieur qui doit changer, suivi de notre état extérieur.

Pour que ce concept soit plus facile à comprendre, je l'ai divisé en deux catégories :

1) Nos émotions les plus pures.

On peut aussi parler de « ressenti » ou « d'intuition ». Ces émotions reflètent nos intentions les plus pures. Ressentir ces émotions est la clé de la conscience pure.

2) Les émotions que nous choisissons de ressentir.

Ce sont les émotions les plus accessibles. Ce sont les émotions que nous exprimons le plus souvent et qui sont plus facilement influencées par nos pensées. Ces émotions sont celles qui nous inspirent souvent à prendre des décisions « irréfléchies ».

La plupart d'entre nous ne réalisons pas le pouvoir de nos émotions. Si nous sommes vraiment à l'écoute de nos émotions les plus pures, elles vont nous dire ce qui est bon et ce qui est mauvais (autant pour nous que dans la vie en général). Malgré tout, il est souvent difficile d'y avoir accès. Nos émotions peuvent devenir souvent si embrouillées par nos pensées que nous confondons autant nos pensées que nos émotions. Nous *utilisons* rarement nos émotions de manière proactive, mais plutôt réactive : *de manière passive plutôt qu'active.* En fait, nous regardons ce qui se passe dans notre vie et nous ajustons nos émotions en fonction de ce que nous voyons. Si notre conjoint nous parle brusquement ou si une facture inattendue arrive à échéance, la terreur s'installe et « rien ne va plus ce jour-là ». On se dit qu'il s'agit d'une réaction normale.

Nos émotions sont des thermostats plutôt que des thermomètres. En fait, nous pouvons changer notre qualité de vie *en choisissant intentionnellement* de nous sentir mieux sans enregistrer passivement *la « température » émotionnelle* des gens qui nous entoure. Tout comme nous pouvons augmenter la température dans une pièce en mettant le thermostat à un degré plus élevé, nous pouvons changer notre vie en augmentant notre température émotionnelle interne. Nous y arrivons en changeant les pensées et les actions qui entraînent des émotions de « fréquence plus élevée ».

Tentez l'expérience suivante. Entrez dans un magasin, un bureau ou un restaurant avec une attitude intérieure d'amour inconditionnel pour chacune des personnes que vous allez y rencontrer. Souriez et maintenez ce sentiment intérieur d'amour. Avez-vous remarqué que les gens réagissent de manière différente ? Avez-vous remarqué que vous avez un pouvoir d'attraction incroyable ? Avez-vous remarqué le sentiment de bien-être qui *vous* envahit ?

Si vous le vouliez, vous pourriez aussi choisir de vous sentir mal à l'instant même. Tout ce qu'il vous suffirait de faire serait de concentrer vos pensées sur quelque chose ou quelqu'un qui vous a fait du mal ou quelqu'un qui vous dérange. Si vous y pensez suffisamment longtemps, en ressentant les émotions qui ont fait surface lorsque vous avez pensé à elle, vous commencerez à ressentir la douleur à nouveau. Vous pouvez même penser à quelque chose qui ne s'est pas encore produit et cela changera l'état dans lequel vous êtes, et ce, jusqu'à vous en donner la nausée.

Vous souvenez-vous du jour où vous avez dû faire une présentation ou prononcer un discours devant un très grand nombre de personnes ? Comment vous sentiez-vous dans les minutes, les jours ou même les *semaines* qui ont précédé l'événement ? Parler en public est l'une des plus grandes peurs qu'ont la plupart des gens. Elle vient même avant la peur de mourir, c'est incroyable. En plus, le moment le plus stressant avant de parler en public n'est pas au moment où vous commencez à parler, mais toute la période précédant votre présentation lorsque vous y *pensez*. Dans un tout autre ordre d'idées, le fait de penser à partir en vacances peut parfois s'avérer plus palpitant que le voyage en soi.

Il semblerait que la vie est composée à dix pour cent de choses qui nous arrivent et à quatre-vingt-dix pour cent des réactions que nous avons face à ce qui nous arrive. Nous ne sommes peut-être pas en mesure de contrôler les résultats, mais nous pouvons certainement leur donner un nouveau sens en changeant seulement notre façon de penser. Comment un événement tel qu'un discours ou une faillite peut-il devenir une condamnation à mort pour une personne, tandis que pour une autre il ne s'agit que d'un tremplin vers une meilleure vie, si ce n'est en raison de leur façon de percevoir les choses ?

Peu importe vos croyances, il n'en demeure pas moins que vous (et vos perceptions) êtes entièrement responsables de votre vie et de son dénouement. Toutes vos pensées, toutes vos émotions et toutes les décisions que vous avez prises jusqu'à aujourd'hui étaient les vôtres. Il est impossible de blâmer quelqu'un pour ce que vous faites ou pour ce que vous n'avez pas, l'étape où vous êtes rendu maintenant ou ce que vous êtes devenu ou pas. Évidemment, il y a des personnes qui ont pu vous influencer d'une certaine façon, mais vos pensées, vos choix ainsi que les actions et les réactions qui ont suivi ont toujours été les vôtres.

La plupart d'entre nous n'aimons pas nous faire dire que nous sommes responsables des expériences négatives que nous vivons. Nous précisons rapidement qu'une autre personne ou situation en est vraiment la cause. Par contre, ce qui est fabuleux lorsque vous devenez responsable de tout ce qui vous arrive, c'est qu'il n'y a que vous *et seulement vous* qui puissiez réécrire votre histoire comme vous le désirez. . .

♥ Il n'y a personne qui puisse vous faire penser, ressentir ou agir contre votre gré.

♥ Il n'y a personne qui puisse vous apporter la richesse et vous maintenir dans la pauvreté, contre votre gré.

♥ Il n'y a personne qui puisse vous maintenir dans un poste ou une relation contre votre gré. Et personne ne peut vous faire fuir dans une direction opposée.

♥ Il n'y a personne qui puisse vous faire aimer quelque chose contre votre gré.

♥ Il n'y a personne qui puisse vous faire ressentir des choses contre votre gré.

♥ Il n'y a personne qui puisse vous empêcher de vous fixer des buts et de les atteindre.

♥ Et il n'y a personne qui puisse vous aider à aller jusqu'au bout.

Alors, que désirez-vous ? Que voulez-vous réaliser ? Que voulez-vous devenir ? Il n'en tient qu'à vous.

❧❧

« Les hommes son nés pour réussir et non pour échouer. »
HENRY DAVID THOREAU

❧❧

Notre éducation nous a tous influencés. Par contre, cela ne veut pas dire que nous devons en être victimes. Les blessures et les expériences antérieures sont choses du passé. Elles ne vous représentent pas, pas plus qu'elles n'influencent ce que vous allez devenir. Elles sont les traces laissées derrière vous lorsque vous êtes au volant de votre vie et non le moteur du véhicule que vous conduisez.

Vos seules limites sont vos pensées en ce moment ainsi que les émotions qu'elles engendrent. Les pensées défaillantes et déprimantes n'ont aucune valeur et elles vous causent énormément de tort. Si vous croyez être désavantagé d'une manière ou d'une autre, vous attirerez les événements sous-jacents à cette croyance. C'est seulement *en éliminant* les fausses pensées limitatives que vous pourrez vous réaliser pleinement. Ce mécanisme vous permettra de changer véritablement votre vie.

Aujourd'hui, vous avez l'occasion de repartir à neuf en *choisissant consciemment* vos pensées. Commencez simplement par penser de manière positive. La pensée positive ne veut pas dire de faire comme si vous n'aviez pas de problèmes. Il faut reconnaître que vous avez des problèmes et, ensuite, changer votre perception de ceux-ci pour que vous puissiez trouver des solutions et ainsi, les résoudre. La minute où la peur, le doute ou le jugement s'annonce, mettez-y un frein sur-le-champ. Remplacez-le par une pensée plus positive et proactive ou soyez tout simplement reconnaissant de pouvoir solutionner ce problème.

Reprenez-vous en contrôlant consciemment vos pensées. N'écoutez pas la voix négative qui se fait entendre dans votre tête. Lorsque vous entendez quelqu'un vous dire que vous n'êtes pas capable ou digne de recevoir une chose, dites-lui d'aller faire de l'air! Vous êtes maintenant responsable de vos pensées. Plus vous exercerez votre rôle, plus vous prendrez de l'expérience. Vous méritez la vie dont vous rêvez, il n'en tient qu'à vous de la créer. Tout ce qui a pu se produire avant aujourd'hui se trouve « dans le passé » ou bien « c'était de cette manière jusqu'à aujourd'hui ». Le seul moment qui *compte* vraiment est MAINTENANT. Chaque respiration est nouvelle. Vous avez l'occasion de commencer à réécrire l'histoire de votre vie et, pour ce faire, vous devez commencer à utiliser les talents que Dieu vous a donnés.

Maintenant, voyons COMMENT vous allez vous y prendre …

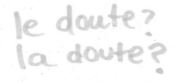

CHAPITRE 2

LE POUVOIR FORMIDABLE DE LA PRIÈRE

❧

« Les gens ont vraiment la foi lorsqu'ils sont sincèrement reconnaissants des choses dont ils rêvent. C'est alors qu'ils deviennent riches et créent tout ce qu'ils désirent. »

WALLACE WATTLES

❧

Est-ce que vous priez ? Si vous avez répondu « oui », alors j'ai une autre question à vous poser : *pourquoi ?* Beaucoup de gens prient, mais bien peu savent *pourquoi* ils le font (ou même *comment*). Certaines personnes prient parce qu'elles ont appris étant jeunes. D'autres personnes croient que c'est la seule façon qu'elles pourront aller au ciel. Des gens le font par sens du devoir ou par peur. Beaucoup de gens prient pour se rapprocher de la toute-puissance de Dieu, tandis que d'autres gens ne savent même pas pourquoi ils prient, ils le font tout simplement par habitude ou pour satisfaire des attentes culturelles.

La puissance de la prière est absolument incroyable surtout si elle est soutenue par une *intention*. Une prière intentionnée a une telle influence qu'elle peut transformer complètement votre vie et ainsi créer un optimisme, une foi et un espoir renouvelés. Elle peut vous remonter le moral quand vous êtes triste et vous donner de la force quand les choses vont moins bien. Une prière intentionnée vous aide à voir clair lorsque vous êtes confus et elle vous donne du courage lorsque vous avez peur. Elle augmente votre résistance pour vous aider à aller de l'avant et elle vous aide à vous sentir plus solide et en paix comme jamais auparavant.

Qu'est-ce qu'une prière intentionnée ?

La réponse à cette question est assez simple. Mais, parfois, les choses se compliquent. La confusion finit par s'installer surtout en raison de différents mythes et systèmes de valeurS déjà établis. Une prière intentionnée est une conversation fructueuse et *sérieuse* avec la toute-puissance de Dieu. Une prière intentionnée n'a pas besoin d'être récitée d'une certaine façon, en utilisant tel verset ou tels mots. Elle n'a pas besoin d'être faite à un moment particulier de la journée ou dans un cadre spécial. Vous n'avez pas à vous agenouiller ou à vous retrouver à l'église pour prier. La prière n'est pas seulement pour ceux qui disent avoir été élus ou qui pensent que la prière les empêchera d'aller en enfer. La prière s'adresse à tout le monde, peu importe l'endroit ou la manière.

Les prières ne sont pas nécessairement des textes à mémoriser et à répéter comme les prières qu'on nous a montrées quand nous étions jeunes et qui n'ont pas grand pouvoir. J'ai grandi en croyant que la meilleure façon de prier Dieu était en récitant le Notre Père. Si cette prière s'appelle le Notre Père, elle doit être investie des pouvoirs du Divin, n'est-ce pas ? Je n'ai jamais vraiment écouté ou porté attention aux mots dits dans cette prière, ce n'était pas important pour moi. En autant qu'il s'agissait du Notre Père, j'avais l'impression de réciter la bonne prière.

Pendant plusieurs années, j'ai prié en suivant cette méthode rituelle même si elle n'arrivait pas à élever mon esprit ou à me donner l'impression d'être liée à quelque chose. Il s'agissait uniquement d'un exercice formel, de quelque chose que je faisais par peur (d'être une pécheresse, d'aller en enfer, et tout ce qu'on peut imaginer dans le genre!). Il y a une chose que je sais maintenant et c'est que le Notre Père, ou toute autre prière, est absolument inutile si elle n'est pas récitée *de manière intentionnelle*.

Chaque confession religieuse et/ou religion possède son propre livre de prières. Quand vient le temps de choisir la prière qui nous convient, le livre ou la religion importe peu. La magie ne se trouve pas dans les mots en tant que tel, mais dans la *foi* que vous avez dans ces mots. Ce n'est pas le degré de perfection de la prière qui déterminera si cela fonctionnera ou pas pour vous, mais bien toute la foi que vous avez en cette prière, lorsque vous la récitez.

C'est la gratitude qui m'a montré comment prier. Elle m'a fait réaliser qu'il était plus important de *remercier* Dieu pour ce qu'Il m'avait déjà donné que de Lui demander de m'en donner encore plus. J'ai cessé de demander à Dieu de me dire comment je devais vivre ma vie et je L'ai remercié de me donner des conseils et d'être toujours là pour moi. J'ai cessé de croire que mes talents n'avaient aucune valeur et je L'ai remercié pour mes dons et l'avenir incroyable que j'étais en train de me préparer à vivre grâce à eux. Je L'ai remercié de me guider chaque jour, de m'aider à devenir une meilleure personne et un meilleur parent. Je L'ai aussi remercié de me donner l'occasion d'apprendre et de m'améliorer grâce à mes erreurs. Plus je le remerciais et plus les choses se manifestaient dans ma vie.

Lorsque je suis devenue reconnaissante, le temps que je passais à prier n'était plus un épisode monotone, une sorte de rituel vide de sens. Mes prières sont devenues un dialogue extrêmement ouvert et méditatif avec la toute-puissance de Dieu. J'ai commencé à parler et à écouter honnêtement le Dieu compréhensif. Je suis devenue consciente d'un monde rempli d'abondance et d'occasions de toutes sortes. Finalement, j'ai eu la relation que j'attendais depuis toujours avec Dieu. Peu importe si je priais pendant une ou vingt minutes, une fois que j'avais terminé, je sentais mon âme s'élever. J'étais remplie d'un amour renouvelé et d'une foi que je n'avais jamais été capable d'atteindre pendant toutes ces années en priant de manière « machinale ».

La gratitude est la voie qui mène au Créateur. Je pense que la raison pour laquelle les gens ont autant de difficulté à se sentir liés à Dieu est parce qu'ils ne savent pas comment être vraiment reconnaissants. Ils lisent les Écritures saintes en pensant *qu'elles* représentent la véritable nature ou personnalité de Dieu, c'est-à-dire tout un ensemble de règlements écrits. Les gens prient sans savoir comment prier et sans vraiment comprendre ce que la prière leur apportera (si ce n'est pour éviter d'aller en enfer). Lorsque vous savez comment vivre dans la gratitude, vous commencez à voir Dieu comme étant autre chose qu'une illusion intimidante, mais plutôt comme un partenaire aimant et en qui vous pouvez avoir une *totale* confiance pour le reste de vos jours. Il vous donne tout ce dont vous avez besoin et c'est par l'entremise d'une prière intentionnée que vous vous ouvrez à tout recevoir.

REMARQUE : la spiritualité n'est pas objective. La spiritualité de chaque personne est aussi unique et spéciale que son ADN. Elle devrait être respectée comme telle peu importe comment la personne la pratique (que ce soit au sein d'une religion, en souffrant, par ses erreurs, selon son éducation, etc.). Peu importe le chemin que vous empruntez pour arriver à Dieu, il s'agit du chemin qui VOUS convient. Ne laissez personne vous dire le contraire.

Un jour, je suis tombée sur la plus extraordinaire prière qui soit :

> *J'ai de la gratitude pour tout ce que je suis et tout ce que je possède.*
> *Je ne me plains de rien.*

À première vue, cette prière ne semble peut-être pas très inspirante et impressionnante, mais une fois que vous aurez compris le message, vous verrez pourquoi j'y suis tant attachée. Cette prière signifie que vous AVEZ en VOUS le pouvoir de transformer votre vie comme vous le désirez, autant le passé, le présent que l'avenir. Vous n'avez besoin de rien d'autre que vous et Dieu. Vous n'avez aucune raison de vous plaindre, *jamais,* en autant que vous croyez que c'est vrai!

Je l'ai ajoutée aux autres prières que je récite chaque soir avant d'aller me coucher. Je me suis assurée que chaque fois que je la récitais, je le faisais avec passion et ferveur. Et alors, la chose la plus extraordinaire s'est produite. Mes sentiments de gratitude sont devenus plus forts et les difficultés que je connaissais dans ma vie sont devenues plus faciles à gérer et moins importantes. J'avais moins peur et je vivais de plus en plus en toute confiance. J'ai laissé un plus grand espace à mon intuition et ma conscience de moi-même a pris son envol laissant ainsi s'échapper lentement toute ma colère, ma culpabilité et ma honte.

Comment prier de manière intentionnée ?

Permettez-moi de commencer en partageant avec vous l'une des choses les plus importantes qui vous sera jamais montrée. Tout le monde, oui j'ai bien dit, *tout le monde* peut engager une conversation avec Dieu. Il n'y a pas que les prêtres, les ministres, les gourous, les rabbins ou les religieuses, et pas seulement la personne qui a écrit une trilogie intitulée *Conversations avec Dieu* (Donald Neale Walsh); mais bien *tout le monde,* y compris vous-même!

Comme je l'ai déjà mentionné, toute tentative d'avoir une conversation sensée avec Dieu est en fait une prière. Mais si vous avez de la difficulté à vous concentrer, voici quelques conseils : faites taire votre mental, concentrez vos pensées sur le moment présent et dites-vous que vous parlez à *quelqu'un* qui vous écoute vraiment. Pensez à Lui comme s'il s'agissait d'un ami intime ou d'un mentor qui ne veut que ce qu'il y a de mieux pour vous. Pensez à Lui comme quelqu'un qui ne vous juge pas et qui vous aime inconditionnellement. À mon avis, c'est la seule façon de voir Dieu. Réservez-vous un espace-Dieu rempli de pureté et d'honnêteté absolue. Parlez-Lui comme si vous parliez à quelqu'un en qui vous pouvez avoir une *totale* confiance, sans aucune réserve. Dites-Lui comment vous vous sentez. Ayez des intentions nobles sans censure, déception ou mensonge.

Pour bien des personnes, une relation personnelle intime avec Dieu reste quelque chose d'intangible. Elles passent leur vie à ne pas connaître leur mission parce qu'elles ne sont pas liées à Dieu ou bien parce qu'elles ne connaissent pas les intentions de Dieu à leur égard. Ce n'est pas qu'elles ne demandent pas à Dieu de leur indiquer le sens de leur existence, c'est tout simplement qu'elles ne Lui posent pas les *bonnes* questions. Arriver à connaître Dieu et Ses intentions à votre égard n'est assurément pas aussi difficile que vous pourriez le croire.

On m'a toujours enseigné que si j'avais un doute, je pouvais demander à Dieu. J'ai dû perdre la moitié de ma vie à Lui demander de me donner des choses ou de faire des choses pour moi, avec peu ou sans aucun résultat. Pourquoi ? Je crois que mon erreur était d'assumer que Dieu ne me donnait pas déjà *tout ce dont j'avais besoin*. Lorsque j'ai compris ce que voulait dire « *tout ce que je suis et tout ce que je possède* », j'ai finalement réalisé que Dieu *fait* déjà pour moi ce que je ne peux pas faire pour moi. Il me guide chaque jour tout au long de la journée sans que je ne m'en rende compte.

Demander à Dieu de vous aider est une façon d'assumer qu'Il ne vous aide pas déjà!

Êtes-vous confus ? Alors, voici un exemple : supposons que vous auriez faim et que vous auriez la chance d'avoir un sac de riz sans fond. Par contre, vous ne sauriez pas comment le faire cuire. Croyez-vous que ce serait une chose sensée de demander à Dieu de vous envoyer encore plus de riz pour assouvir votre faim ? Bien sûr que non. Ne serait-ce pas plus à propos de demander comment le faire cuire ? Eh bien, notre relation avec Dieu est tout à fait semblable! Vous travaillez en équipe. Il vous a donné et Il continue à vous donner tout ce dont vous avez besoin. Il n'en tient qu'à vous d'ouvrir les yeux pour voir toutes les possibilités et de faire de votre mieux avec ce qui vous a été donné.

Au lieu de demander davantage de conseils, remerciez-Le plutôt pour Ses conseils. Il vous en donne déjà. Demandez à Dieu d'éliminer toutes les choses qui vous empêchent de reconnaître *la sagesse et la conscience qui sont déjà en vous*, pour que vous puissiez reconnaître Ses conseils. Ne demandez pas seulement à Dieu de bénir votre famille, mais remerciez-Le de *l'avoir déjà fait* et de continuer à le faire chaque jour. Priez pour apprendre de vos erreurs pour que vous puissiez devenir une meilleure personne (parent, conjoint, enseignant, employeur, ami, et autres).

Au lieu de demander davantage de choses, remerciez pour ce que vous avez puisque vous avez déjà tout ce dont vous avez besoin. Priez-le pour qu'Il vous aide à connaître les dons qu'Il vous a donnés et qu'Il vous montre de quelle façon les utiliser. Et si vous avez de la difficulté avec cela, demandez-Lui de vous éclairer et vous le serez. Son aide arrive toujours à point. Il connaît vos besoins, y compris quand et à quel moment vous en avez besoin, et cela, mieux que vous-même.

Dieu aide les gens qui s'aident eux-mêmes

Il y a une différence entre le fait de dépendre de Dieu pour satisfaire tous nos besoins et Lui demander son aide pour y arriver. Dieu peut faire des miracles et Il en fera en faisant pour nous ce que nous ne pouvons pas faire pour nous-mêmes. Par exemple, il y a des millions de personnes partout dans le monde qui peuvent affirmer, sans l'ombre d'un doute, que Dieu les a sauvés de la maladie de l'alcoolisme à un moment où ils avaient perdu tout espoir. Je connais ce genre de miracle puisque je l'ai vécu moi-même. Mais si vous croyez que c'est Son travail (ou le travail de la société) de faire en sorte que votre vie soit parfaite sans avoir à travailler pour y arriver, alors vous éprouverez un sentiment d'insatisfaction.

Dieu est un « gentleman ». Il n'insistera jamais pour s'immiscer dans votre vie. Si vous ne Lui demandez pas d'aide, Il en conclura que vous n'en avez pas besoin. Il se tiendra sur la réserve pour vous permettre de faire vos propres erreurs. Dieu n'a pas à changer notre façon de penser à notre place. C'est quelque chose qu'il faut faire par soi-même. Si vous désirez recevoir Ses conseils, vous n'avez qu'à le Lui demander. Lorsque vos intentions sont nobles et que votre désir est soutenu par la foi, *alors* vous êtes en mesure de recevoir Son aide, que ce soit par l'entremise d'un miracle ou de la découverte de votre puissance.

L'autre soir, je regardais le film Evan Almighty *(*Le Tout-Puissant*)*. Il s'agit d'une jolie version moderne de l'Arche de Noé mettant en vedette Steve Carell (Noé) et Morgan Freeman (Dieu). Une des scènes les plus puissantes du film se passe lorsque l'épouse de Noé est irritée et confuse et qu'elle se confie à Dieu (déguisé en serveur) en ce qui a trait aux problèmes qu'elle rencontre avec son époux qui semble avoir perdu la tête. C'est alors que Dieu lui dit : « *Laisse-moi te poser une question : si une personne prie pour avoir de la patience, crois-tu que Dieu lui accordera* *de la patience ou lui donnera-t-il des occasions de pratiquer la patience ? Si la personne prie pour avoir du courage, est-ce que Dieu lui donne du courage ou s'Il lui donne des occasions d'être courageux ? Si quelqu'un prie pour que les membres de sa famille se rapprochent, penses-tu que Dieu va les envelopper de tendres sentiments les uns envers les autres ou s'Il va leur donner des occasions de s'aimer les uns les autres ? »*

Il n'y a rien dans la vie qui ne soit acquis, sauf le changement. Le changement peut être terrifiant surtout si on vous l'impose, comme c'est le cas lors d'une perte d'emploi ou d'une maladie qui se déclare soudainement. Par contre, ce qui semble mauvais aujourd'hui peut s'avérer une bénédiction, plus tard. Il est bien de faire le deuil d'une chose qui était sûre et confortable. Mais il ne faudrait pas devenir ce deuil. Vous devriez voir le changement comme une occasion d'obtenir ou de faire quelque chose de mieux et non comme quoi la fin du monde est arrivée. Plutôt, comme le début d'un temps nouveau. Le changement peut être très revigorant si vous utilisez ce temps pour vous concentrer sur des solutions plutôt que sur le problème. Il nous force à prendre des décisions par rapport à notre avenir. *Quels sont mes rêves ? Qu'est-ce qui compte le plus pour moi ? Qu'est-ce que je voudrais faire pour le reste de mes jours ?* Prenez du temps pour y réfléchir et entrevoyez toutes les possibilités.

Dieu a une connaissance infinie. Il travaille selon ce qu'Il sait être bon pour nous et pas nécessairement selon nos désirs d'humains. Dieu ne nous donne peut-être pas ce que nous demandons lorsque nous le demandons, mais Il nous donne toujours une occasion de l'obtenir. On dit que Dieu ne nous donnera jamais plus que ce que nous sommes capables d'assumer. Cela s'applique autant pour les obstacles que pour les bénédictions. Le bienfait que vous attendez ne viendra peut-être pas au moment où vous le désirez, mais lorsque vous êtes entièrement prêt à le recevoir. J'ai remarqué que souvent lorsque je demande une bénédiction et que j'ai la foi qu'elle me sera accordée, je finis par réaliser que les bénédictions que j'ai demandées étaient juste là sous mon nez pendant tout ce temps.

Dieu est notre partenaire de vie. Lorsque nous Lui parlons honnêtement et ouvertement et que nous croyons en Sa puissance, nous recevons tous les pouvoirs pour réaliser tout ce vers quoi nous concentrons nos efforts. Priez pour la capacité de voir et ensuite agissez selon les messages que vous recevez avec la nouvelle confiance qui vous anime. Il y aura toujours des déceptions, mais avec Dieu à vos côtés, vous pouvez et vous pourrez vous en sortir.

« En tant qu'êtres humains, nous avons la liberté de choisir
et nous ne pouvons pas remettre la responsabilité
sur les épaules de Dieu ou de la nature.
Nous devons la porter sur nos épaules, car
elle nous appartient. »
ARNOLD J. TOYNBEE

Il y a quelque temps, Jenny, une de mes amies, connaissait une période difficile parce qu'elle essayait d'être enceinte. Passant d'une fausse couche à une autre, elle n'arrivait pas à comprendre ce qui pouvait bien se passer. Pourquoi toutes ces pertes ? Pourquoi toute cette souffrance ? *Pourquoi elle ?* Bien qu'il y ait eu plusieurs raisons médicales à la source de ses problèmes, Jenny continuait à être désillusionnée et confuse. Elle était en colère contre Dieu parce qu'Il n'exauçait pas ses prières. Elle ne comprenait pas qu'Il avait un plan pour elle, alors elle se sentait abandonnée et trahie. Jenny a alors commencé à perdre la foi en la toute-puissance de Dieu.

J'ai dit à Jenny que je croyais que Dieu lui avait vraiment donné les réponses qu'elle attendait, mais elle n'était tout simplement pas à l'écoute. Elle ne voulait pas vraiment savoir *pourquoi* elle avait fait des fausses couches. Dans son for intérieur, elle savait pourquoi. Elle voulait seulement que Dieu arrange tout pour qu'elle puisse avoir un bébé en santé. Elle voulait un miracle.

Il y a des millions de personnes partout dans le monde qui souffrent d'une maladie après l'autre. Elles passent d'un médecin à un autre cherchant à être guéries. Lorsqu'elles ne le sont pas, elles blâment Dieu. Les problèmes de l'Humanité tels l'obésité, les dépendances, l'anxiété, la plupart des autres problèmes de santé et ceux ayant trait à l'environnement sont engendrés par l'homme et non par Dieu. Ils dépendent des choix que nous faisons sur le plan collectif.

Les fabricants utilisent des pesticides et d'autres produits chimiques pour produire plus rapidement des biens qui vont coûter moins cher. Ensuite, lorsque nous sommes malades à cause de toutes les toxines qu'ils dégagent, nous nous tournons vers l'industrie pharmaceutique pour nous guérir. Ces entreprises profitent de notre mauvaise santé et elles n'ont pas l'intention de « guérir » quoi ni qui que ce soit.

Nous construisons des maisons sur les rives de rivières que nous savons pertinemment comme étant propices à des inondations. Et ensuite, nous gémissons d'angoisse parce qu'une tempête a emporté tout ce que nous possédions sur son passage. Nous voulons blâmer quelqu'un, mais au lieu de nous pointer du doigt, nous blâmons Dieu de ne pas nous avoir protégés (*de nous-mêmes*).

Je ne suis pas Dieu. Je suis quelqu'un qui a été touché par la grâce de Dieu, et cela, à cause de la puissance de la foi. Il n'y a que Dieu qui sache si la maladie et les désastres sont sensés nous détruire ou nous *inspirer* à trouver une solution. Sans défis et sans obstacles, nous devenons complaisants. Nous avons besoin d'eux pour grandir. Peut-être ne sommes-nous pas sensés connaître toutes les réponses aux questions du genre « Pourquoi cela m'arrive-t-il en ce moment ? ».

Peut-être devons-nous simplement examiner chaque défi et voir ce qu'il représente pour nous en ce moment et nous questionner à savoir ce qui se passe maintenant. « Comment puis-je utiliser cet événement pour en tirer parti en ce moment et à l'avenir ? Comment puis-je transformer cet événement et l'utiliser pour apporter quelque chose au monde ? »

Il n'en tient qu'à nous de devenir responsables. Notre travail est d'être le changement que nous recherchons.

SOYEZ RECONNAISSANT

❧❧❧

Soyez reconnaissant de ne pas avoir déjà tout ce que vous désirez.
Si c'était le cas, vous n'auriez pas de but dans la vie.

Soyez reconnaissant de ne pas tout connaître.
Vous avez ainsi l'occasion d'apprendre.

Soyez reconnaissant de vivre des expériences douloureuses.
Elles vous font grandir.

Soyez reconnaissant d'avoir des limites.
Elles vous donnent l'occasion de vous améliorer.

Soyez reconnaissant d'avoir à relever de nouveaux défis.
Ils vous rendent plus fort et serein.

Soyez reconnaissant de faire des erreurs.
Il s'en dégage toujours des leçons enrichissantes.

Soyez reconnaissant lorsque vous êtes fatigué.
Cela veut dire que vous avez fait une différence.

Il est facile d'être reconnaissant lorsque les choses vont bien.
L'abondance vient à ceux qui ont aussi de la gratitude
pendant les périodes plus difficiles.

AUTEUR INCONNU

CHAPITRE 3

LA GRATITUDE :
BIEN PLUS QUE DIRE « MERCI »

❧

« La gratitude nous fait découvrir toute l'abondance de la vie.
Elle transforme ce que nous avons en contentement et en surplus.
Le déni fait place à l'acceptation, le chaos fait place à l'ordre et
la confusion devient clarté. Un repas devient un festin,
une maison devient un foyer, un étranger se transforme en ami.
La gratitude nous aide à donner un sens à notre passé,
elle nous apporte la paix maintenant et nous aide
à nourrir notre vision de demain. »

MELODY BEATTIE

❧

J'ai entendu parler d'un homme qui gardait dans sa poche une « pierre de gratitude ». Chaque fois qu'il y touchait, il pensait à une chose pour laquelle il éprouvait de la gratitude. Peu de temps après, sa vie a commencé à changer. Des bonnes choses ont commencé à se produire dans sa vie. L'homme a parlé de son expérience à un autre homme. Puis, cet homme en parla à un village. Bientôt, les villageois ne tardèrent pas à être plus heureux et plus en santé que dans le passé.

Lorsque j'ai entendu cette histoire, je ne pouvais pas m'empêcher de vouloir ce qu'ils avaient. Alors, je me suis mise à chercher un objet de gratitude à placer dans ma poche. En peu de temps, j'ai trouvé l'objet qui me servirait d'ancrage. Il s'agissait d'un tout petit jouet, un « poisson koi » qui me fixait droit dans les yeux de l'endroit où il se trouvait sur le plancher du salon. (Par un concours de circonstances, le koi est le symbole du courage, de la persévérance dans l'adversité et de la force nécessaire pour surmonter les épreuves, pour avoir un but précis et la capacité d'atteindre des objectifs élevés.) Sans avoir trop d'attentes, j'ai placé le poisson dans ma poche et au cours des mois qui suivirent, j'ai fait des efforts conscients pour le toucher à différents moments de la journée. Peu importe l'endroit où je me trouvais, je me forçais à penser à quelque chose, *n'importe quoi* pour laquelle j'éprouvais de la gratitude autant dans le passé, le présent que l'avenir. J'ai commencé à modeler mon avenir en étant reconnaissante pour chaque chose ou personne qui avait eu de l'importance dans ma vie. *Très rapidement*, ma situation et ma façon de voir les choses en général ont commencé à s'améliorer.

En quoi consiste la gratitude ?

La gratitude crée une augmentation de vibrations. Lorsque vous êtes reconnaissant, vous vous sentez bien et vous faites de grandes choses! Bien au-delà de toute autre force sur la Terre, la gratitude vous amène à vous concentrer sur ce qu'il y a de positif dans votre vie et non sur le négatif. En fait, il est impossible d'être reconnaissant et négatif en même temps. Il y aura toujours une facette quelconque d'une personne, d'une chose ou d'une situation pour laquelle nous éprouverons de la gratitude. Ainsi, il n'y a rien qui puisse nous empêcher de choisir d'être dans un état d'esprit positif en tout temps, et cela, en autant qu'on le désire.

La gratitude est une sorte d'antidépresseur, une solution miracle qui change automatiquement nos pensées et nos émotions. Mais ce qui est différent ici c'est que son effet positif est durable. Ce qui est encore plus merveilleux avec cette incroyable « drogue », c'est que nous pouvons y avoir accès *en tout temps*. Vous n'avez pas besoin de faire remplir une ordonnance. Il n'y a aucune limite à la quantité que vous pouvez prendre ou du moment en particulier où la prendre. Elle est toujours disponible lorsque vous en avez besoin parce qu'elle est toujours à l'intérieur de vous, attendant seulement à être utilisée.

Nous avons tous déjà été reconnaissants de quelque chose à un certain moment donné, que ce soit une journée ensoleillée, les gens que nous aimons, l'argent, les cadeaux ou les compliments que nous avons reçus. Mais de quelle façon cet « état de gratitude » a-t-il changé *votre* vie ? Peut-être répondrez-vous que votre vie n'a pas changé. Peut-être que vous voyez la gratitude comme moi autrefois, comme une autre façon plus sophistiquée de dire « merci » : une pensée d'appréciation qui part et qui vient rapidement. Lorsque vous l'abordez de cette façon, la gratitude n'est-elle rien d'autre qu'un simple *mot* ?

La gratitude est une pensée, une émotion, une action et un mode de vie. Pendant des milliers d'années, des millions de personnes heureuses ayant réussi partout dans le monde, ont utilisé la gratitude comme technique afin d'améliorer leur potentiel, créer une réussite et une richesse incroyables, consolider leurs relations, attiser l'amour, améliorer leur santé physique, retrouver l'estime de soi, augmenter leur confiance, saisir de nouvelles opportunités et avoir une meilleure relation avec Dieu et ils ont obtenu les résultats les plus extraordinaires qui soient. Cela va sans dire que les gens qui pratiquent régulièrement la gratitude réussissent mieux en général dans tous les domaines de leur vie que ceux qui ne la pratiquent pas.

Dans un article paru dans la revue *Successful Living*, on y rapportait les effets de la gratitude sur la santé. « Les psychologues Robert Emmons, de *l'University of California at Davis*, et Michael McCullough, de *l'Université de Miami*, sont d'éminents chercheurs dans le domaine de la gratitude. Ce qu'ils ont appris jusqu'à maintenant est que la gratitude est bonne pour vous, *vraiment* bonne pour vous. »

Des études ont démontré que les gens qui pratiquent la gratitude régulièrement en recueillent plusieurs bénéfices positifs, y compris une meilleure santé, une plus grande richesse, des relations plus fructueuses ainsi qu'un plus grand bonheur et une plus grande confiance, sans oublier des niveaux de stress et de dépression moins élevés, comparativement aux personnes qui ne pratiquent pas la gratitude (Justice 2007, 18-19*)*.

La gratitude est la clé vers la richesse financière

Il ne fait aucun doute que les gens qui sont reconnaissants acquièrent une plus grande richesse. La gratitude est une véritable force énergétique dans le monde. Plus vous éprouvez de gratitude pour votre richesse présente, plus vous trouvez de raisons pour en éprouver davantage. L'ancien adage qui dit : « Les riches s'enrichissent et les pauvres s'appauvrissent » pourrait être plus précisément reformulé pour dire que « les gens qui se *sentent* riches s'enrichissent et ceux qui se *sentent* pauvres s'appauvrissent ».

Les gens reconnaissants se sentent riches. Lorsqu'ils ont compris comment on se sent lorsqu'on est riche, ils en viennent à en vouloir encore plus. Ils deviennent passionnés et confiants en leur capacité à se fixer des grands (et des petits) buts et à les réaliser. Plus ils en réalisent et en reçoivent les bienfaits, plus ils trouvent de raisons d'éprouver de la gratitude. C'est un cycle (ce qui explique pourquoi se fixer des buts fonctionne mieux si on combine cette pratique à celle de la gratitude).

La gratitude est la base même de toute spiritualité

La puissance de la gratitude s'étend bien au-delà de ce qui est tangible. C'est en fait votre relation avec la toute-puissance de Dieu. La gratitude nous lie à Dieu en créant une vive émotion de *foi* qui nous rappelle que nous avons été bénis et que notre vie est un cadeau précieux et inestimable. Remercier est la façon la plus simple de se brancher sur Dieu.

❧

> *« Si la seule prière que vous aviez faite de toute votre vie était 'Merci', cela suffirait. »*
>
> MEISTER ECKHART

❧

La gratitude est bonne pour votre santé

C'est vrai. Les personnes qui pratiquent la gratitude sont en meilleure santé physique et mentale que ceux qui ne la pratiquent pas. Lorsque nous nous sentons reconnaissants, la sérotonine (l'ingrédient chimique permettant au corps de « se sentir bien ») augmente et stimule notre système immunitaire de manière positive. Des niveaux peu élevés de sérotonine sont la cause de plusieurs maladies dont la dépression, une faible libido, l'anxiété, l'apathie, la peur, la colère, un appétit insatiable et des rages de nourriture, l'insomnie et la fatigue.

La gratitude est bonne pour votre santé et votre âme! La recherche d'Emmons et McCullough montre que lorsque nous avons des pensées de gratitude, « l'émotion qui accompagne la pensée, l'influx parasympa - thique (la partie calmante du système nerveux autonome) est déclenché. Lorsque ce processus est répété, il a un effet protecteur sur le cœur. Ce n'est pas uniquement l'hypertension artérielle qui est soulagée, mais les risques d'une mort subite en raison d'une insuffisance coronarie qui sont également réduits ».

La gratitude est la clé en matière de croissance personnelle

Du moment où vous devenez reconnaissant, vos pensées, vos émotions et votre attitude commencent à se transformer. Et plus vous pratiquez la gratitude, plus les choses deviennent faciles. Vous verrez les choses autrement et vous serez ramené à une réalité qui vous a déjà échappé – une réalité où vous avez le contrôle de votre vie. Les pensées, les émotions et les situations qui se détérioraient se résoudront presque sans efforts.

La gratitude crée la foi et la foi entraîne une sorte d'excitation face à toutes les bonnes choses qui sont à venir. Lorsque vous vous tournez vers l'intérieur (*et vers Dieu*) pour trouver des réponses, vous ne voyez plus votre verre comme étant à moitié vide et ne cherchez plus quelqu'un pour le remplir. Vous commencez plutôt à voir la vie comme un cadeau précieux regorgeant d'opportunités extraordinaires et illimitées. De jour en jour, plus vous ferez l'expérience du miracle de la gratitude, plus vous voudrez répéter l'expérience. Vous voudrez changer et grandir. Vous voudrez devenir la personne que Dieu voulait que vous soyez.

La gratitude est la porte d'entrée menant au bonheur

La gratitude fait rejaillir l'amour, la bonté, l'acceptation et la sérénité dans nos vies. Elle a aussi le pouvoir d'inspirer le pardon et de soigner les relations tendues et les blessures du passé. Elle peut même transformer l'échec le plus cuisant en opportunité. La gratitude nous permet de savourer les cadeaux qui sont déjà sous l'arbre de Noël de notre vie lorsque tout va bien dans notre vie. Lorsque les choses vont moins bien, la gratitude nous permet de voir les bienfaits cachés dans tout ce qui nous entoure. Lorsque nous éprouvons de la gratitude, les problèmes financiers nous donnent l'occasion de modifier nos priorités. La perte d'un emploi est également l'occasion de poursuivre nos rêves. Une maladie grave ou même la mort donne l'occasion aux membres d'une famille de se rapprocher.

Les bouddhistes parlent de « transformer le poison en médicament ». Chacune des situations qui nous « empoisonne » la vie peut être transformée en quelque chose de guérisseur, mais seulement lorsque nous y jetons un regard empreint de gratitude.

Peut-être devons-nous faire place à la gratitude parce qu'elle fait en sorte que nous nous sentons merveilleusement bien. Être reconnaissant est une récompense en soi, même si nous n'avons pas obtenu plusieurs autres avantages miraculeux. Comparez un moment de gratitude à un moment d'ingratitude et vous ne trouverez aucune comparaison. La raison pour laquelle une personne choisirait de se priver de la gratitude demeure l'un des grands mystères de la vie.

Comment éprouver de la gratitude ?

Pour être reconnaissant, vous devez savoir pour quelle chose ou envers qui vous éprouvez de la gratitude. Les cadeaux sont toujours offerts par un donneur. Alors, avant d'aller plus loin, je crois que nous devrions nous entendre sur le fait qu'il y a une sorte de Source Divine (différente de vos parents) qui vous a donné la vie. Et je ne veux pas seulement parler ici de votre existence physique, mais de *tout :* tous vos talents, vos dons et vos expériences, y compris le monde qui vous entoure. Vous devriez donc être reconnaissant de *tout* cela et envers *tout* cela. Encore une fois, je ne voudrais pas que vous ayez l'impression que je me répète, mais je veux que les choses soient bien claires. J'ai choisi d'appeler cette force du nom de Dieu. Mais vous pouvez choisir le nom qui vous convient le mieux.

J'ai toujours eu de la difficulté avec l'adage qui dit : « Au moins, tu as la santé ». Vous souvenez-vous du moment où vous aviez de la difficulté à payer vos comptes ? Étiez-vous reconnaissant d'être en santé à ce moment-là ? Je sais que pour ma part lorsque la banque est venue réquisitionner notre maison, je ne me sentais pas chanceuse ni reconnaissante d'avoir une bonne santé.

Je ne dis pas qu'il est impossible d'être reconnaissant d'avoir une bonne santé. En fait, je *suis* extrêmement reconnaissante d'avoir un corps en santé et cinq merveilleux sens qui me permettent d'explorer le monde incroyable dans lequel je vis. Ce que je veux dire c'est que la gratitude n'est pas quelque chose que nous ressentons ou faisons semblant de ressentir parce que nous savons que nous devrions être reconnaissants. C'est ce que j'appelle « être reconnaissant pour le plaisir d'être reconnaissant ». C'est le genre de gratitude qui nous fait dire : « Tu remercieras ta tante Marie pour la belle chemise jaune qu'elle t'a donnée ». Ce n'est pas de la véritable gratitude; c'est une gratitude « fabriquée de toute pièce ». Ce genre de gratitude ne change pas les choses parce qu'elle est fausse. C'est comme *faire semblant* d'être reconnaissant parce que les gens sont toujours en train de nous dire que « les choses pourraient être pires ».

En général, les gens sont des créatures empathiques. De manière intuitive, nous sommes capables de nous rendre compte que nous avons plus de chance que les autres. Lorsque nous voyons quelqu'un en chaise roulante, un parent en deuil, une victime d'un désastre ou un ami dans le besoin, nous savons de manière instinctive que nous sommes bénis d'avoir ce que nous avons. Et malgré tout, sur une base quotidienne, nous ne sommes pas inspirés par nos dons. Nous préférons nous plaindre et prendre nos dons pour acquis plutôt que de les laisser agir pour qu'ils accomplissent leur œuvre, c'est-à-dire « nous bénir ».

Une question se pose ici : si nous sommes bénis à ce point, pourquoi nos vies semblent-elles si moches comparées à celles des autres ? Pourquoi l'herbe semble-elle toujours plus verte chez le voisin ? La réponse est simple : parce que nous ne savons pas *comment* être reconnaissants. La gratitude est un outil et un avantage; c'est un *cadeau* qui se trouve en chacun de nous, un peu comme un talent caché. Elle attend pour nous apporter toute la santé, toute la richesse, tout l'amour, toute la réussite et tout le bonheur dont nous rêvons. Mais nous devons tout d'abord savoir *comment* l'utiliser.

Comprendre les bienfaits

C'est ici que tout commence à prendre son sens. Jusqu'à maintenant, vous vous demandiez sans doute quel rapport pouvait-il y avoir entre la gratitude et la fixation de buts. C'est bien simple, que nous voulions l'admettre ou non, tout le monde arbore l'attitude suivante : « Qu'est-ce que ça va m'apporter ? ». Nous faisons tout en pensant que chaque chose que nous faisons nous rapportera quelque chose en retour d'une manière ou d'une autre. Nous faisons même des choses que nous détestons pour nous faire accepter et éviter la douleur ou prévenir le trouble.

Ainsi, il est tout à fait sensé qu'une chose aussi pure et spirituelle que la gratitude nous ramène à la notion de gain personnel. Bien que cela paraisse égocentrique, il n'y a absolument rien de mal à se concentrer sur notre gain personnel tant et aussi longtemps que ce n'est pas au détriment de quelqu'un d'autre. C'est ainsi que les humains sont programmés. Nous aimons faire des choses qui nous apportent du bien-être. Nous détestons faire des choses qui nous créent des malaises. Et c'est bien ainsi, car Dieu veut que nous soyons bien. En fait, en raison de Sa compassion infinie, Il a conçu un monde dans lequel faire le bien nous apporte du bien-être.

Au début, le sentiment de gratitude ne vous viendra peut-être pas si facilement, surtout pour ceux qui ne l'ont jamais expérimenté ou pour ceux qui en ont retiré un succès mitigé lorsqu'ils l'ont pratiquée. La gratitude est plus facile à pratiquer, et plus gratifiante, lorsque vous reconnaissez sa valeur ou les bienfaits que vous ont procurés ces personnes ou ces choses envers lesquelles vous tentez d'être reconnaissant. Une fois que vous avez déterminé de quoi ou envers qui vous êtes reconnaissant, vous devez penser aux avantages d'avoir ces personnes ou ces choses dans votre vie. Autrement dit, comment *vont-elles, pourraient-elles ou pourront-*

elles potentiellement améliorer votre vie ? Lorsque vous reconnaîtrez leurs avantages (et il y en a toujours), vous trouverez une raison qui vous stimule émotionnellement d'être reconnaissant.

Le fait de comprendre les *avantages* réels de chaque personne ou de chaque chose vous aidera à réaliser que vous êtes vraiment choyé. Vous comblerez ainsi le vide qui existe entre *essayer* d'être reconnaissant et l'*être* vraiment. Cette vieille voiture que vous détestez aurait-elle aussi certains avantages ? Bien sûr, qu'elle en a. Par exemple, peut-être qu'elle vous permet d'économiser des centaines de dollars en paiements mensuels parce qu'elle est déjà payée. Que vous permet de faire cet excédent d'argent ? Peut-être acheter une nouvelle voiture ? Investir dans de l'immobilier ? Voyager ?

Voici comment cela fonctionne. Lorsque vous pensez à une chose ou à une personne pour laquelle vous éprouvez de la gratitude (ou lorsque vous écrivez à leur sujet dans votre journal quotidien de gratitude), trouvez immédiatement une *raison* précise pour laquelle vous êtes reconnaissant; cette *raison* devient votre avantage. Par exemple, si quelqu'un vous demande pourquoi vous êtes reconnaissant d'avoir eu la mère que vous avez eue, vous pourriez répondre : *parce que son amour est inconditionnel et qu'elle m'a aidée à devenir une personne confiante, heureuse et accomplie.* Votre mère est l'*objet* de votre gratitude; son amour inconditionnel et son soutien sont ce qu'elle vous a donnés (l'avantage) pour que vous puissiez les utiliser afin de vous réaliser dans la vie (la récompense).

Le fait d'être reconnaissant pour ce que vous avez influence énormément votre bien-être dans l'instant présent. Il s'agit du premier pas pour vous permettre d'avoir une vie pleinement satisfaisante. Par contre, si ce que vous désirez c'est de commencer à vivre passionnément, vous devrez utiliser la gratitude à un autre niveau. Cette prochaine étape exigera un peu de créativité et de planification de votre part.

C'est à ce moment-ci que vous commencez à utiliser la gratitude comme un *outil* afin de vous aider à créer la vie dont vous rêvez et que vous méritez. Posez-vous la question suivante : « Comment cet avantage peut-il améliorer ma vie ? » Ou mieux encore : « Comment puis-je tirer profit de cet avantage pour arriver à améliorer ma vie ? » C'est là que la gratitude rejoint la fixation de buts pour vous permettre de créer une centrale électrique de possibilités!

Par exemple, supposons que vous décidiez d'éprouver de la gratitude à l'égard de ce livre. Voici comment vous pourriez utiliser cette gratitude pour vous aider à progresser dans votre vie d'une certaine façon :

Étape 1 : **Indiquez ce qui vous rend reconnaissant.**

« J'éprouve de la gratitude à l'égard de *La gratitude et VOS buts…* »

Étape 2 : **Faites ressortir les avantages.**

… parce que j'apprends comment me propulser à l'aide de la gratitude et de la fixation de buts.

Étape 3 : **Visualisez les résultats.**

La troisième étape consiste à déterminer comment vous *pouvez* ou *pourrez* utiliser cet avantage afin d'améliorer votre vie. Vous devez utiliser la puissance de votre imagination ou ce que j'aime appeler la « pensée créatrice » afin de créer tout d'abord, dans votre esprit, les résultats désirés.

« …Muni de cette connaissance, j'aurai confiance en moi et je serai capable de me fixer et d'atteindre les objectifs les plus ambitieux et les rêves les plus extravagants. Je ferai plus d'argent, je serai en parfaite santé, je connaîtrai l'amour parfait, je serai heureux et je retrouverai la paix intérieure. »

Je sais que cet exemple était un peu poussé mais, bien heureusement, vous voyez ce que je veux dire. La gratitude est bien plus qu'une simple pensée. C'est en fait votre inspiration à vouloir plus et à vous dépasser. Mais, avant tout, elle vous donnera la confiance pour savoir que vous pouvez obtenir ce que vous désirez, lorsque vous passerez à l'action!

Étape 4 : **Créez les résultats.**

Fixez-vous des buts et poursuivez-les chaque jour.

La quatrième étape va au-delà de l'émotion de gratitude et nécessite de passer à l'action. Il s'agit de mettre en place un plan de réalisation pour transformer l'image dans votre tête, en réalité. Nous en discuterons dans les chapitres subséquents, mais vous pouvez commencer à l'appliquer dès maintenant dans votre journal quotidien de gratitude.

Quand les choses ont mal tourné pour ma famille il y a quelques années, je n'étais pas une personne très reconnaissante. J'avais bien des raisons d'être reconnaissante, mais je ne *réalisais* pas que j'avais des raisons de l'être. Une fois que j'ai trouvé ces raisons et que j'ai commencé à concentrer mon énergie sur des façons de tirer profit des avantages plutôt que de me complaire dans la douleur, ma vie a commencé à changer instantanément. Vous pourrez vous aussi y arriver à partir du moment où vous commencerez à vous concentrer sur les avantages d'un problème et que vous trouverez une solution proactive pour le régler.

À la suite d'une conférence où je parlais de la gratitude, une femme est venue me voir pour me remercier. Durant notre conversation, elle a mentionné qu'elle *devrait* probablement être plus reconnaissante de ce qu'elle avait dans la vie, plus précisément de son emploi, *même si elle ne faisait pas suffisamment d'heures.* Je me suis rendu compte de deux choses, a) soit qu'elle n'avait jamais essayé d'éprouver de la gratitude, ou b) soit qu'elle avait essayé d'éprouver de la gratitude, avec peu ou aucun résultat. Comment ai-je pu déceler cela ? Tentons d'analyser son commentaire pour y découvrir un élément de réponse.

Tout d'abord, elle a dit qu'elle « devrait » être plus reconnaissante. Cela m'apparaissait comme un signe de scepticisme. Il était évident qu'elle ne croyait pas à la puissance de la gratitude; si puissance, il y avait, n'est-ce pas ? Je sentais qu'elle voulait ressentir plus de satisfaction, mais j'avais des doutes à savoir si elle allait essayer d'éprouver de la gratitude, et cela, même si elle disait le « devoir ». Alors, j'ai poursuivi notre conversation.

Je lui ai fait remarquer *la* chose qu'elle avait omise; *la* chose qui la troublait était le fait que *son travail ne lui permettait pas de travailler autant d'heures qu'elle l'aurait voulu*. Je lui ai suggéré que c'était peut-être justement *la* chose envers laquelle elle devrait être reconnaissante plutôt que d'en être incommodée. Grâce à ce temps libre, elle pouvait maintenant se concentrer à faire autre chose comme une démarche spirituelle (chose qu'elle disait trouver importante), du conditionnement physique ou même créer la carrière de ses rêves. En y pensant un peu, j'étais certaine qu'elle aurait été d'accord pour dire que c'était à cause de tout ce temps libre qu'elle pouvait lire et tenir un journal, deux choses qu'elle m'a dit trouver aussi très importantes. Évidemment, elle aurait probablement pu s'accommoder d'une rémunération supplémentaire, mais qui dit qu'elle n'aurait pas pu avoir un revenu d'appoint ailleurs en faisant quelque chose qu'elle aimait vraiment pendant les temps morts que lui accordait son travail.

Cela m'amène à vous parler de mon deuxième point. Lorsque vous essayez d'être reconnaissant, soyez tout simplement reconnaissant sans conditions en échange de votre gratitude. (Je peux être reconnaissant de cette chose ou cette personne seulement si/lorsque/même si, etc.). En se référant au même exemple, si cette femme voulait vraiment être reconnaissante de son emploi, elle devrait changer les mots qu'elle utilisait et dire : « Je suis reconnaissante d'avoir cet emploi parce que… ». C'est tout. Sans conditions. Sans ajouter *même si je ne travaille pas autant d'heures que je le voudrais,* ou quoi que ce soit d'autre qu'elle trouve à revendiquer à propos de son emploi.

Cela s'applique à tout, peu importe la chose ou la personne envers laquelle vous essayez d'éprouver de la gratitude. La gratitude est une forme d'acceptation. Si vous désirez récolter les fruits de la gratitude, *soyez tout simplement reconnaissant.* Passer votre colère, avoir du ressentiment, blâmer, vous apitoyer sur votre sort ou toute autre émotion négative dirigée vers une personne ou une chose vont seulement freiner vos progrès vers le but convoité. Il y a des moments et des endroits pour ressasser ces émotions, mais maintenant n'est pas le bon moment.

Enfin, chaque situation négative (du moins perçue comme telle) est une occasion d'y trouver son compte. S'il s'agit d'une occasion, il n'y a rien de négatif dans cette affaire, je dirais plutôt que c'est positif. Lorsque vous voyez les événements de votre vie comme des avantages plutôt que des obligations, votre esprit s'ouvre à de nouvelles possibilités et votre vie devient soudainement plus passionnante. Les roses ne feront plus désormais partie d'un décor d'arrière-scène, elles deviendront des fleurs colorées et odorantes qui viendront ensoleiller vos journées. Une dispute avec votre conjoint ne vous apparaîtra plus comme la fin du monde, mais plutôt une occasion de vous améliorer en tant que personne et de grandir en tant que couple.

Si, par hasard, la femme de mon exemple passait ses journées à ne rien faire de ces temps morts, alors être reconnaissante de ce temps lui permettrait certainement de s'ouvrir aux incroyables possibilités qui lui sont offertes. Une fois qu'elle aura appris comment être reconnaissante, elle pourra commencer à utiliser ce temps de manière productive en se fixant des objectifs et en travaillant pour améliorer sa vie plutôt que de s'en plaindre. Lorsque je lui ai fait remarquer tous ces points, c'était comme si une lumière venait de s'allumer. Elle était prête à commencer à vivre dans la gratitude.

CHAPITRE 4

LA GRATITUDE :
HIER, AUJOURD'HUI ET DEMAIN

❧

« Croire aux choses que vous pouvez voir et toucher
n'est pas vraiment croire. Mais, croire à l'invisible
est autant une victoire qu'un bienfait. »
BOB PROCTOR

❧

La gratitude vous aide à vivre dans l'instant présent.
La gratitude vous aide à guérir du passé.
La gratitude vous aide à préparer l'avenir.

La gratitude vous aide à vivre dans l'instant présent.

Combien de fois dans votre vie pouvez-vous dire avoir vécu vraiment dans l'instant présent ? Vivre dans l'instant présent survient lorsque nous ne voulons vraiment rien de plus que « ce qui est » dans l'instant présent. C'est le moment où nous ne faisons qu'accepter la vie pour ce qu'elle est sans essayer de la juger, de la changer ou de la fuir. Si nous pouvions tous être aussi « zen »! Et vous savez quoi, nous pouvons tous l'être.

Lorsque nous pouvons nous arrêter suffisamment longtemps et séparer notre esprit (autrement dit le mettre au neutre) de notre corps, la paix intérieure peut s'installer. Dans cet instant, nous sommes en mesure de ressentir vraiment, d'aimer vraiment, d'être vraiment reconnaissant et de tout simplement *être*. Se libérer pour apprécier *le monde tel qu'il est* plutôt que de le critiquer est au cœur même de l'illumination spirituelle qui mène vers une vie remplie de pur plaisir. La véritable gratitude survient dans le calme et la tranquillité. Nous pensons pour ressentir (et même décider de *ne pas penser* est une décision mentale). Lorsque nous pensons à quelque chose au point de ressentir, nous dépassons une ligne invisible qui nous amène au calme et à la tranquillité. Nous ressentons pour *être* et quand nous sommes dans cet d'état d'*être*, nous éprouvons de la gratitude envers l'instant présent.

Comme tout le reste, *être* présent exige de la pratique. Curieusement, le présent est la seule chose que nous ayons vraiment. Notre corps est toujours présent, c'est notre esprit qui essaie de nous échapper. À l'instant même où je tape ces mots, je ne suis rien d'autre qu'une personne qui fait bouger ses doigts sur le clavier de son ordinateur. C'est ce qu'une personne de l'extérieur verrait et c'est, en fait, uniquement ce que je suis. Bien souvent, lorsque j'essaie d'*être* uniquement dans l'instant présent, je fais taire mon mental, je sors de moi-même et je *me* vois telle qu'un étranger me verrait. Comme la personne ne peut pas avoir accès à mes pensées, pour cette personne, je ne suis rien d'autre qu'un corps vide, sans intelligence. C'est pourquoi tellement de gens peuvent tuer sans avoir de remords. Ils ne voient pas qu'à l'intérieur de chaque « corps », il y a un flot constant de pensées et d'émotions. *Les gens nous voient comme rien d'autre qu'un « corps » physique; par contre, nous nous voyons comme si nous étions « **le** » monde.*

Si vous désirez attirer davantage de choses que vous voulez comme le bonheur, l'amour, le bien-être, l'argent, la réussite, il est important d'éprouver tout d'abord de la gratitude envers les choses qui existent déjà. Je ne veux pas seulement dire les choses pour lesquelles les autres considèrent que vous devriez avoir de la reconnaissance, comme par exemple, avoir un endroit où loger et avoir la santé, mais envers chaque personne et chaque événement qui vous touchent (y compris vous-même). Commencez par regarder votre vie de la manière la plus objective et honnête qui soit et tenez compte de tout ce qui est déjà là et non de ce qui vous manque.

Il y a une raison d'être reconnaissant envers chaque personne, chaque endroit ou chaque chose. Voyez chaque personne comme une âme cherchant à être touchée. Nous pouvons ressentir et profiter pleinement du véritable amour lorsque nous sommes dans l'immobilité. Touchez quelqu'un (avec vos mains ou votre cœur) et ressentez la personne sans penser ni juger. Donnez généreusement sans penser à prendre quelque chose en retour.

≈≈≈

« L'intelligence émotionnelle signifie de poser notre regard sur l'état présent plutôt que sur un moment futur. C'est accepter ce qui «est» dans le moment présent. »
ECKHART TOLLE

≈≈≈

Prenez quelques instants durant la journée pour être reconnaissant même des plus petites choses. Mettez un « objet » de gratitude dans votre poche et utilisez-le. Ou prenez du temps durant la journée pour écrire dans votre journal de gratitude. Trouver des raisons d'être reconnaissant ne devrait pas être très compliqué. Même lorsque certains jours la vie nous semble injuste, il y a d'innombrables raisons d'être reconnaissant : une nouvelle coiffure, une bonne tasse de café, le rire de vos enfants, la santé (*surtout la* santé), le soleil qui brille, la couleur de vos yeux, le pays dans lequel vous vivez, vos enfants, vos amis, votre travail, vos talents, l'argent dans votre compte de banque, une bonne conversation, l'essence dans votre voiture, « l'instant présent », etc. N'oubliez pas de penser à des façons de tirer avantage de chacun.

Un après-midi, alors que j'étais dans la salle d'attente du dentiste avec mon fils, j'ai fait un effort conscient pour vivre dans l'instant présent. Je me suis laissée aller à ne me concentrer que sur rien d'autre que mon bébé; je l'observais attentivement pendant qu'il dévorait une fraise fraîche. Il avait du jus rouge qui lui coulait sur le menton. J'ai plongé mon regard dans ses grands yeux bruns et j'ai vu un reflet cuivré que je n'avais jamais remarqué auparavant. J'ai effleuré son bras. Sa peau était si douce. Les petits poils sur sa peau chatouillaient ma main. Je le touche probablement des dizaines de fois par jour, mais c'était la première fois que je m'étais laissée aller à vraiment le *sentir*. J'ai réalisé qu'il était un merveilleux cadeau. J'ai souri de bonheur quand il m'a supplié de lui donner d'autres fraises. *À cet instant, il était parfait. J'étais parfaite. La vie était parfaite.*

Avant longtemps, tout était terminé. Mon esprit commença à vagabonder vers la pièce d'à côté où mon fils aîné se trouvait et j'ai commencé à m'inquiéter. Allait-il bien ? Puis, j'ai commencé à penser à une foule d'autres choses qui n'avaient rien à voir avec la journée… Et mon tout-petit continua à manger ses fraises, comme si de rien n'était. *Soupir*… Eh bien, ce n'était qu'un instant, mais c'était le nôtre! Je ne l'oublierai jamais et j'en suis reconnaissante.

Bien entendu, il est important de faire une liste de buts et de faire des plans, mais peu importe les efforts que vous mettez à penser, à planifier et à développer des stratégies, vous ne pouvez jamais vous trouver dans un autre instant que celui-là. Le passé et le futur n'existent pas, il n'y a que *maintenant*. Notre malheur dépend de notre ressentiment face au passé et de nos inquiétudes face à l'avenir. Mais ni le passé ni l'avenir ne sont réels, car il n'y a que l'instant présent qui compte!

Plutôt que de vous apitoyer sur votre sort en pensant à tout ce que vous n'avez pas ou n'avez pas fait, soyez reconnaissant de tout ce pour quoi vous êtes béni aujourd'hui. Aujourd'hui, l'instant présent est en fait le seul qui vous soit vraiment donné et il ne manque rien. Préparez votre avenir, mais vivez dans l'instant présent en sachant que la façon que vous choisissez de vivre aujourd'hui a un effet sur votre avenir. Chaque instant de gratitude que vous connaissez ne fait pas qu'améliorer votre vie en ce moment même, mais il vous permet d'établir les bases d'un avenir encore plus prospère.

La gratitude vous aide à préparer l'avenir

La gratitude est un outil très puissant qui, lorsqu'il est utilisé, peut et pourra vous aider à préparer votre avenir. Voici comment.

La gratitude vous inspire à vouloir davantage, à croire qu'il y a encore plus de choses qui vous attendent et, en bout de ligne, à en faire plus

Un cœur reconnaissant s'anime face à l'avenir et à ses innombrables possibilités.

La gratitude vous donne la confiance nécessaire pour vous fixer des buts et travailler constamment pour qu'ils se réalisent

Lorsque vous êtes reconnaissant de toutes les bonnes choses que vous avez déjà dans la vie, vous vivez dans la confiance que plein d'autres choses vont arriver et vous croyez qu'elles sont sur le point de se produire.

La gratitude vous aide à rester centré même quand rien ne va plus

Elle vous fait penser en termes d'avenir et elle vous stimule en vous aidant à rester confiant et positif.

Qu'est-ce que la foi ?

Pour mieux définir le type de foi auquel je fais référence dans ce livre, j'ai choisi de m'appuyer sur cette définition bouddhiste qu'on retrouve dans Wikipedia.org :

La foi se rapporte à une sorte de...

♥ conviction que quelque chose *existe;*

♥ détermination qui vous permet d'atteindre vos buts;

♥ joie provenant des deux sensations précédentes.

Examinons cet énoncé de plus près...

La foi commence par la conviction que quelque chose existe

La foi existe lorsque vous faites des choix sans douter parce que vous croyez que Dieu et l'Univers *sont* là pour vous. Lorsque vous choisissez de croire en cet énoncé, il s'avère vrai. (C'est tout à fait vrai, que vous y croyiez ou non! Cependant, vous annulez les avantages en n'y croyant pas.) Cette conviction vous amène vers...

La détermination qui vous permet d'atteindre vos buts

Lorsque vous croyez, vous êtes guidés par Dieu. Vous avez la confiance nécessaire pour vous fixer de nouveaux objectifs, petits ou grands. Vous travaillez pour les atteindre en sachant qu'avec Dieu de votre côté, vous pouvez accomplir tout ce que vous êtes sensé faire. Comme vous vous sentez ainsi, vous ressentez...

La joie provenant des deux sensations précédentes

Lorsque vous croyez que Dieu est avec vous, qu'Il vous guide et prend soin de vous en plus des intentions et de la concentration qui s'ajoutent, la vie prend tout son sens et vous ressentez une joie profonde. Vous retrouvez la tranquillité d'esprit en sachant que peu importe les défis auxquels vous devez faire face, vous êtes non seulement capable de les relever, mais vous en ressortirez plus fort par la suite.

La foi est plus facile à intégrer pour les personnes qui prennent le temps de reconnaître les petits miracles de la vie. Tout peut commencer par un simple instant de clarté; un sentiment profond de gratitude. Cet instant peut même être considéré comme un cadeau. Être reconnaissant à cet instant même vous permet de créer une confiance inébranlable en l'avenir.

La gratitude par anticipation

Je vais répéter ce qui suit parce que cela mérite d'être répété : ce que nous faisons maintenant aura un effet durable sur notre avenir. Voilà pourquoi je remercie pour aujourd'hui en sachant que toutes les pensées positives que j'ai, chaque leçon que j'apprends et chaque action que j'entreprends sont là pour m'aider à créer un avenir meilleur. C'est ce qu'on appelle la *gratitude par anticipation,* et il s'agit en fait d'un ultime acte de foi. Lorsque nous prenons du temps pour être reconnaissant *par anticipation,* cela nous aide à faire passer le message (autant à Dieu, qu'à l'Univers, qu'à notre subconscient) pour dire que nous apprécions sincèrement tous les cadeaux qui nous ont été donnés et nous sommes impatients de voir ce que l'avenir nous réserve.

« Les gens ont vraiment la foi lorsqu'ils sont sincèrement reconnaissants des choses dont ils rêvent. C'est alors qu'ils deviennent riches et créent tout ce qu'ils désirent. »
WALLACE WATTLES

La gratitude par anticipation pourrait bien être « l'outil » le plus puissant pour vous aider à accomplir vos désirs les plus fous. Si vous pouvez imaginer ce que vous désirez, et croire fermement que ce désir est créé par vos pensées, vos émotions et vos actions, vous pouvez alors vraiment vous placer dans un « mode vibratoire de gratitude » pour les choses qui ne sont pas tout à fait en place dans votre vie. Et vous aurez décodé les plus grands secrets de la réussite.

Après avoir déclaré faillite, les choses ont décliné rapidement. Un jour, je conduisais un nouveau camion tout rutilant et le lendemain, je devais le ramener au concessionnaire parce que nous ne pouvions plus assumer les mensualités. J'étais réduite à conduire la vieille voiture de mon mari, celle-là même qu'il avait achetée avant nos fréquentations. Je détestais cette voiture! C'était une deux portes à propulsion. Ce n'était pas le genre de voiture toute désignée pour une mère au foyer avec deux jeunes bambins. Chaque fois que je devais installer mes enfants dans leurs sièges d'autos à l'arrière du véhicule, je devais littéralement faire de l'acrobatie.

Peu de temps après avoir commencé à le conduire, le véhicule s'est mis à faire un bruit intense et embarrassant. Le siège du conducteur était coincé et il ne voulait pas se déplacer. Il y avait toujours un liquide ou un autre qui venait à manquer. Mon mari m'a juré qu'il fonctionnait bien… avant que je ne commence à le conduire. Il prétendait que c'était mon énergie négative qui avait accéléré sa détérioration. Vous savez quoi, il avait probablement raison. En définitive, ce n'était pas une si mauvaise voiture.

Mon attitude négative envers cette voiture était une représentation de mes sentiments par rapport à ma vie. Lorsque je la conduisais, j'avais du ressentiment envers moi. Je me demandais ce que j'avais fait pour mériter une existence aussi misérable. J'étais une personne intelligente, créative et j'avais des idées formidables, mais je me retrouvais quand même en train de conduire cette voiture déglinguée. Et mon mari et moi étions toujours fauchés, ce qui mettait de la tension dans notre mariage et notre vie familiale. J'avais du ressentiment envers mon mari par rapport à notre existence, mais la cause première de mon angoisse était le fait que je n'arrivais pas à contrôler ma propre vie. J'avais désespérément besoin de changement; j'ai alors mis en place le seul plan d'action auquel je pouvais penser et j'ai commencé à éprouver de la gratitude *par anticipation.*

Créer une habitude est la seule façon d'intégrer quelque chose de nouveau jusqu'à ce qu'elle devienne une réalité. J'ai créé l'habitude de la gratitude en touchant constamment l'ancrage qui était le petit poisson dans ma poche, non seulement pour les choses que j'avais, mais aussi pour les choses que je *désirais* et que j'étais confiante de *recevoir*. Ma vie s'est améliorée autant de l'intérieur que de l'extérieur; plutôt que de détester le véhicule de mon mari, j'ai choisi d'être reconnaissante du fait qu'au moins il m'amenait où j'avais besoin d'aller (la plupart du temps!).

Fait tout aussi important, j'ai commencé à éprouver de la gratitude pour le véhicule que *j'aurais bientôt.* Je prenais le temps de *ressentir* le plaisir que j'aurais à magasiner ma nouvelle voiture, comme si ça allait se produire le lendemain. À ce moment-là, je ne savais pas vraiment de quelle façon je m'y prendrais pour atteindre mon but, mais je pouvais ressentir, dans toutes les fibres de mon être, que j'aurais bientôt une belle voiture toute neuve. Cet enthousiasme me donna la confiance nécessaire pour passer à l'action afin d'atteindre mon objectif (nous reparlerons de la fixation de buts dans les chapitres suivants).

J'ai changé ma façon de penser et de ressentir en choisissant d'être reconnaissante. Aujourd'hui, je peux dire en toute franchise que mon mariage et moi-même sommes plus forts en raison des revers que nous avons dû essuyer. J'ai pris la décision de redevenir amoureuse de mon mari, d'arrêter de lui en vouloir, de commencer à poser sur lui un regard amoureux et de le *ressentir* avec un cœur aimant. C'était aussi simple que cela; en fait, j'ai pris une décision!

Sans ce genre de gratitude *par anticipation*, je ne sais pas comment j'aurais pu me sortir d'une année aussi désastreuse. J'anticipais l'avenir avec plaisir tout autant que le rôle que j'aurais à jouer pour changer la trajectoire des événements. *La gratitude par anticipation* vous permettra de vous en sortir en vous aidant à dépasser la douleur que vous avez vécue et les combats que vous devez mener au quotidien. Elle insuffle de l'espoir en un avenir prometteur et fait en sorte que vous en ressentez les bienfaits *immédiatement*. À partir du moment où vous cessez d'avoir peur de l'avenir et que vous faites place à la gratitude pour ce qui est à venir, vous ressentez un changement à l'intérieur de vous sur le plan vibratoire. La vie est plus joyeuse et plus légère.

Lorsque vous vous pratiquerez à éprouver de la gratitude par anticipation, vous utiliserez un outil très puissant sur le plan de la fixation de buts. Vous trouverez la motivation pour travailler en vue d'obtenir les choses que vous désirez en ayant pleine confiance qu'elles sont déjà en train de se créer par vos pensées et vos actions. Le genre de gratitude dont je parle ici est une gratitude proactive. Il ne s'agit pas de s'asseoir sur ses lauriers en attendant que votre vie change pour mieux l'apprécier. Il s'agit plutôt de reconnaître les outils qui vous ont été donnés et de les utiliser pour changer votre vie. Alors, comment allez-vous vous y prendre ? En commençant par être reconnaissant d'avoir ces outils.

Avez-vous l'impression que j'envoie un message confus ? D'une part, je suggère que vous deveniez reconnaissant de tout ce que vous êtes et de tout ce que vous avez, sans rechigner. D'autre part, je vous dis de planifier et de prier pour en obtenir davantage. Ces deux idées sont-elles incompatibles ? Pas du tout.

Tout comme vous, je veux posséder *plus* de biens matériels, je veux être encore *plus* accomplie, réussir encore *plus* dans la vie et réussir ma vie. Vouloir plus de biens et éprouver de la gratitude par anticipation ne sont pas des moyens détournés de faire des demandes ou d'exprimer notre insatisfaction en ce qui a trait au présent. Il s'agit en fait d'un acte de foi, car Dieu veut que nous développions nos dons et que nous expérimentions le plus possible le jardin des plaisirs. Il veut aussi que nous soyons reconnaissants de ce que nous avons déjà. Sans ce genre de gratitude, nous ne connaîtrons jamais vraiment la paix intérieure.

Bon nombre d'entre nous croyons secrètement que si nous apprécions pleinement tout ce que nous avons *maintenant*, nous allons perdre notre motivation pour en vouloir davantage et devenir complaisant. Alors, nous vivons continuellement dans un état d'insatisfaction en « *pensant* » que nous sommes en train de nous motiver à passer à l'action. Mais l'action est rarement entreprise, alors tout ce que nous faisons est de créer un mode vibratoire basé sur la tristesse. Lorsqu'on se retrouve dans cet état, on n'apprécie jamais ce qui nous est donné; on ne voit que ce qui nous manque encore. En fait, la gratitude nous donne encore plus de raisons d'être *reconnaissant*. Nous pouvons être pleinement reconnaissants de *l'instant présent* tout en étant aussi reconnaissant de tout ce qui va se produire de nouveau à l'avenir.

Lorsque vous croyez en Dieu et en vous-même, et que vous entreprenez des actions quotidiennes pour que vos désirs se réalisent, alors vos efforts finissent par porter des fruits. Éprouver de la gratitude par anticipation est une façon de dire à Dieu que vous appréciez les dons qu'Il vous a donnés et que vous vous engagez à les utiliser afin de réaliser votre plein potentiel.

La gratitude vous aide à guérir du passé

Tout comme il est important d'être reconnaissant envers le présent avec tous ses bienfaits et envers l'avenir dont vous rêvez, il est tout aussi important d'être reconnaissant envers le passé. Pourquoi en est-il ainsi ?

Nous vivons dans un monde où chaque personne et chaque chose sont inter-reliées. Tout ce que nous faisons, pensons et croyons affecte le monde et les gens autour de nous. L'état dans lequel le monde se trouve est la résultante collective de *tous* les événements qui se sont déjà produits. Il suffit de penser à l'environnement qui ne s'est pas dégradé tout seul. Nous sommes tous responsables de sa détérioration, et en fin de compte, de sa réhabilitation.

De la même façon, les gens ont la capacité de s'influencer les uns les autres. Nous ne sommes pas seuls dans le monde : nous faisons *tous* partie d'un même *tout* et nous sommes *tous* interreliés les uns aux autres. Chacun de nous a le pouvoir d'influencer les autres avec ses mots et ses actions, autant *de manière positive que négative.* Tout ce que nous pensons, disons et faisons touche les autres et le monde qui nous entoure. En retour, nous sommes touchés par les autres de la même façon. En fait, nous faisons une grande partie de notre apprentissage en venant en contact avec les autres.

Albert Einstein a dit un jour : « Un être humain est une partie d'un tout que nous appelons l'Univers, une partie limitée dans le temps et l'espace. Il s'expérimente lui-même, ses pensées et ses émotions sont comme quelque chose qui est séparé du reste, une sorte d'illusion optique de sa conscience. Cette illusion est une sorte de prison pour nous, nous restreignant à nos désirs personnels et à l'affection de quelques personnes autour de nous. Notre tâche doit être de nous libérer nous-mêmes de cette prison en élargissant notre cercle de compassion pour embrasser toutes créatures vivantes et la nature entière dans sa beauté. »

Certains des pires événements de l'histoire ont mené à certaines des découvertes les plus merveilleuses. Le fait est qu'on ne peut jamais isoler un événement et l'étiqueter comme bon ou mauvais. Prenons l'exemple du quart-arrière au football américain qui se fracture un os sur le terrain de football. Pendant sa période de rééducation, il se découvre un talent d'acteur. Dix ans plus tard, il gagne l'Oscar du meilleur acteur. Bien que l'expérience ait pu sembler douloureuse à l'époque, pensez-vous qu'il considère cet accident comme une tragédie ou une bénédiction ? Je suis certaine qu'en y repensant, il ne changerait rien à rien, et cela, même s'il en avait l'occasion.

Dans nos propres vies, nous sommes souvent amers face aux gens et aux événements du passé. Nous sommes convaincus que quelque chose de « mauvais » nous est arrivé et que c'est cet événement qui est la cause de notre malchance. Nous blâmons nos parents, nos enseignants, nos anciens employeurs, nos anciens amoureux, et d'autres. En fin de compte, tout ce qui s'est produit dans le passé est « bon » parce que chaque événement nous a donné l'occasion de changer et de grandir. La gratitude implique d'être reconnaissant autant des mauvaises expériences que des bonnes. Éprouver de la gratitude envers les événements du passé, y compris les choses les plus cruelles et injustes qui nous sont arrivées, veut dire qu'il faut accepter que toute chose a un lien et que chaque événement « bon » ou « mauvais » nous a aidé à peindre le tableau de notre présent.

Des pensées négatives récurrentes et concentrées en ce qui a trait au passé sont dangereusement redoutables. Si elles ne sont pas contrôlées, elles peuvent dominer sur toutes les émotions positives, y compris l'amour ou le bonheur et vous empêcher de prendre le contrôle de votre vie et de faire des progrès par rapport à votre avenir. Elles sont les chaînes qui vous retiennent au passé.

Votre passé n'est pas garant de votre avenir. Être reconnaissant envers des gens et des événements du passé, ne serait-ce qu'un peu, vous libérera des chaînes de la douleur qu'ils ont pu vous causer. Vous devrez sans doute faire preuve d'honnêteté envers vous-même, chose à laquelle vous ne vous êtes pas encore appliqué. Vous aurez peut-être de la difficulté à l'admettre, mais chaque personne et chaque événement dans votre vie, y compris votre ennemi juré, vous ont apporté quelque chose de positif d'une certaine façon. Vous êtes un peu la personne que vous êtes aujourd'hui en raison de leur influence et cela vous donne une raison de leur en être reconnaissant.

Faites un effort conscient afin de vous libérer du blâme et du ressentiment en ce qui a trait à votre passé. Tant et aussi longtemps que vous tiendrez les autres responsables des blessures que vous croyez qu'ils vous ont causées, vous renforcerez votre souffrance. C'est comme si vous étiez en train de souffler sur des flammes en espérant qu'elles se dissipent. C'est à vous que vous faites du mal et non à eux. On dit que le ressentiment s'apparente à boire du poison en espérant que ce soit *l'autre* personne qui meurt. Aussitôt que vous reconnaîtrez le ressentiment du passé comme étant quelque chose dont vous êtes responsable, vous pourrez alors prendre les mesures nécessaires pour passer à autre chose.

La gratitude et le pardon

Le pardon n'implique pas nécessairement de laisser aller *l'autre*. C'est pour vous que vous devez pardonner. Les gens qui pardonnent sont plus heureux et en meilleure santé que ceux qui ne le font pas. Le pardon a le pouvoir de vous libérer d'une vie entière de tristesse et de tourment qui a un effet néfaste sur votre corps tout entier. Si vous êtes rempli de ressentiment contre quelqu'un, c'est à vous que vous faites du mal en étant en colère et non à cette personne. L'autre personne n'a probablement aucune idée de ce que vous ressentez. Le ressentiment est dans *votre* tête et non dans la leur. Le « coupable » dort probablement mieux que vous durant la nuit. Est-ce juste ? Sinon, qu'allez-vous faire pour y remédier ?

Pardonnez. Lâchez prise. Le pardon n'est pas une façon de dire que vous *approuvez* ce que l'autre personne vous a fait; c'est seulement une façon de lâcher prise.

✎✎

« *La paix n'est pas un but lointain que nous recherchons,*
mais un moyen qui nous aide à parvenir à ce but.* »
MARTIN LUTHER KING JR.

✎✎

Dans les périodes les plus difficiles, je restais éveillée la nuit, en pestant contre mon mari pour le malheur qui s'abattait sur nous à cause de son entreprise. Je ne voulais même pas le regarder dormir paisiblement pendant que je tournais et me retournais en m'apitoyant sur mon sort. Après un certain temps, je me suis rendu compte que j'avais le choix de me sentir ainsi ou pas. Je me suis alors demandé, *qui est-ce qui souffre lorsque je me réfugie dans cet endroit sombre dans ma tête ? Mon mari qui fait de beaux rêves ou bien moi, avec mes nœuds dans l'estomac ?* Et ensuite, tout a commencé à avoir du sens : Euréka! C'est de changer sa façon de penser.

J'ai commencé à faire un effort conscient d'être reconnaissante. Je passais en revue une liste de gratitude dans ma tête de toutes les choses que j'aime chez mon mari, y compris le soutien qu'il me donne et les efforts acharnés qu'il déploie pour que les choses s'améliorent. J'éprouvais de la gratitude *par anticipation* pour toutes les bonnes choses, y compris un avenir prometteur. En ayant uniquement des pensées de gratitude, ma colère disparaissait instantanément. J'ai été soulagée et j'ai retrouvé la paix.

Lorsque nous pardonnons aux autres, nous finissons par nous libérer. Cela n'a rien à voir avec l'autre personne. Il s'agit de prendre la décision de ne plus vouloir souffrir à cause d'un événement du passé. L'autre personne n'a même pas besoin d'être au courant que vous lui pardonnez, si vous ne voulez pas lui dire.

Voulez-vous savoir comment cesser d'être en colère contre quelqu'un ? Je sais que vous allez peut-être trouver cela bizarre, mais voici comment : *en priant pour la personne*. Si la prière n'est pas vraiment votre tasse de thé, éprouvez plutôt de la gratitude à leur égard. Lorsque vous priez sincèrement pour une personne que vous considérez comme « une épine du pied », il s'agit de l'une des actions les plus puissantes que vous pouvez entreprendre pour vous défaire de vos anciens modèles de douleur et d'amertume.

Essayez-le. Pendant un instant, maintenant (ou avant d'aller au lit ce soir), pensez à quelqu'un avec qui vous avez des rapports tendus. Accordez-lui trente secondes de votre temps. Pensez aux *choses* et aux *raisons* qui pourraient faire en sorte que vous pourriez éprouver de la gratitude pour cette personne. Pour un instant, oubliez que la personne est la méchante. Appréciez les bons côtés de la personne (vous pourriez devoir la regarder du point de vue d'une autre personne, si c'est ce qu'il faut).

N'oubliez pas que « nos ennemis sont nos plus grands professeurs sur le plan spirituel ». Demandez-vous quelle leçon cette personne vous sert-elle sur *vous-même*. Souvenez-vous que chaque personne qui est mise sur votre route l'est pour une raison ou une autre. À quoi sert cette personne dans ma vie ? Qu'avez-vous appris à son contact qui a fait en sorte que vous êtes devenu une personne plus forte ? Ou que *pouvez-vous* apprendre si vous lui ouvrez votre cœur et votre esprit ? Si vous n'êtes pas certain, alors demandez à Dieu : « *Qu'est-ce que je dois apprendre de cette personne ?* »

Ne bloquez pas le processus en ajoutant des pensées négatives. Même si c'est seulement pour le moment, laissez de côté tous vos anciens sentiments de colère et de ressentiment et faites place à la gratitude. *Soyez vraiment reconnaissant*, allez au-delà des mots et concentrez-vous au moins sur un exemple de quelque chose que la personne vous a apportée, même si ce n'était qu'une leçon vous montrant qu'il fallait lâcher prise par rapport à la colère. Si la commande vous semble trop importante, alors demandez tout simplement à Dieu de bénir la personne comme Il le juge à propos. Si vous n'arrivez même pas à faire cela, alors demandez à Dieu de vous donner la volonté nécessaire pour vous débarrasser de votre colère.

Une fois que vous aurez fait cet exercice, arrêtez-vous et réfléchissez au sentiment que vous *avez éprouvé*. Cet exercice a-t-il changé votre façon de penser à l'égard de l'autre personne ou à votre sujet ? Sinon, refaites l'exercice demain et le jour suivant, et éventuellement, votre ressentiment se dissipera. Vous serez libéré de la prison de la négativité qui vous retenait depuis si longtemps.

Le pardon est simple, mais pas toujours facile. Il s'agit d'un processus qui demande souvent de la patience, de la ténacité et une honnêteté sans faille envers soi. Si vous avez de la chance, vous pouvez pardonner sur-le-champ. Mais il est fort probable que vous aurez besoin d'un peu plus de temps. Dans mon cas, pardonner le passé ne s'est pas fait du jour au lendemain. Peu à peu, j'ai dû laisser tomber mes défenses pour remplacer mes anciennes pensées et mes émotions douloureuses par de nouvelles plus positives. La bonne nouvelle est que le pardon est un art. Plus vous le pratiquez et plus vous vous améliorez. Avec le temps, vous apprenez à pardonner plus rapidement afin que le ressentiment n'ait plus l'occasion de s'enraciner au départ.

Eleanor Roosevelt n'aurait pu dire plus vrai lorsqu'elle a déclaré : « N'oubliez pas qu'une personne ne peut pas vous faire sentir inférieur à moins que vous ne leur donniez votre consentement ». Alors, la prochaine fois que vous serez en colère contre quelqu'un, rappelez-vous que la personne ne vous contrôle pas. La personne n'a pas le pouvoir de vous faire ressentir une émotion que vous ne désirez pas ressentir. Vous avez le droit absolu de laisser aller cette colère en un instant ou de vous y accrocher et laisser les choses s'envenimer. Vous êtes la seule personne à pouvoir exercer ce contrôle. Il est bon de se rappeler que dans la plupart des cas, l'autre personne n'avait pas l'intention de vous faire du mal (et même si c'était le cas, ce n'est pas votre problème). La personne qui vous a « offensé » est un être humain imparfait tout comme vous. Il peut arriver que vous fassiez aussi du mal à des gens, sans en avoir l'intention, vous en rappeler peut vous aider à mettre les choses en perspective et vous placer dans un état qui se rapproche davantage du pardon.

Autre chose, nous nous accrochons à la colère parce que sur un plan quelque peu primitif, nous n'aimonspas admettre que nous y trouvons de la *satisfaction*. NOUS AIMONS avoir quelqu'un d'autre sur qui rejeter la faute. Nous nous délectons de notre juste colère et ne voulons pas *vraiment* nous en débarrasser. Tant et aussi longtemps que nous tirons un avantage d'éprouver du ressentiment, nous ne sommes jamais vraiment prêt à pardonner.

La gratitude et l'acceptation

Au fond, l'acceptation est le contraire de l'état dans lequel vous vous sentez lorsque vous êtes tenaillé par le doute, l'insécurité, l'impatience, la déception, l'amertume ou la peur. L'acceptation n'est rien d'autre que l'acte qui nous permet de reconnaître quelque chose ou quelqu'un uniquement comme ils sont, sans les juger, sans avoir de préjudices ni d'attentes. C'est ce qui détermine que peu importe les efforts que vous pouvez mettre pour changer la chose ou la personne, elle est ce qu'elle est et ce n'est pas votre travail d'essayer de la changer.

⤜⤏

> *« Les choses ne sont ni bonnes ni mauvaises.*
> *Ce sont nos pensées qui les rendent telles. »*
> WILLIAM SHAKESPEARE

⤜⤏

Si vous êtes capable d'aimer et d'accepter les autres tels qu'ils sont sans jugement, sans attente et sans essayer de les changer, alors vous dépasserez automatiquement la peur, le ressentiment et l'insécurité. Vous vivrez en harmonie avec vous et avec le monde qui vous entoure.

En tout temps, l'acceptation est l'étape la plus saine et la plus éclairée qu'une personne puisse franchir. Après tout, que pouvez-vous faire d'autre lorsqu'il n'y a *rien* que vous puissiez faire ? Malgré tout, c'est comme si les humains devaient se battre avec acharnement contre l'acceptation! Une des raisons principales pour laquelle nous nous battons contre l'acceptation est parce que nous croyons qu'elle est synonyme d'approbation. Si nous *acceptons* une chose, nous pensons que nous l'approuvons. Nous nous disons : « Je suis incapable d'accepter des choses comme le viol, le meurtre et la guerre ». Par contre, l'acceptation ne signifie pas que nous *approuvons* une chose, cela veut seulement dire que nous la reconnaissons comme faisant partie de la réalité. Et, c'est seulement lorsque nous reconnaissons qu'une chose fait partie de la réalité plutôt que d'essayer de l'effacer de notre conscience par le déni que nous pouvons y faire face de manière réaliste.

Bien entendu, l'autre raison pour laquelle nous sommes contre l'acceptation est qu'une fois que nous avons vraiment accepté un fait désagréable, nous devons alors y faire face. Lorsque nous *acceptons* les gens, l'insécurité et les difficultés, nous pouvons cesser d'y résister et commencer à *y faire face.* Nous résistons au besoin de nous battre contre ces choses parce que nous n'aurons plus de *raisons* de vivre de conflit intérieur, du genre *et si, si seulement, il ou elle aurait dû et pourquoi moi ?* Nos défenses tombent et nous commençons à imaginer des solutions au lieu d'affronter plus de problèmes. C'est seulement à ce moment-là que tout le monde est gagnant, y compris soi-même.

La gratitude commence par l'acceptation. La gratitude est en fait la plus pure des formes d'acceptation. Essayez d'être reconnaissant de quelque chose sans l'avoir acceptée au départ et vous constaterez qu'il est très difficile d'y arriver. C'est comme essayer de pleurer et de rire en même temps. Alors, si vous désirez faire l'expérience des joies et des bienfaits de la gratitude, commencez par accepter chaque chose et chaque personne qui se trouvent dans votre vie.

CHAPITRE 5

PLUS NOUS DONNONS, PLUS NOUS RECEVONS

❧

Remercier se mesure par le nombre de mots,
la gratitude se mesure par la nature de nos actions.
DAVID McKAY

❧

Pour véritablement faire l'expérience de l'abondance que la gratitude peut nous procurer, nous devons amener notre gratitude à un autre niveau. Nous devons redonner en faisant preuve d'une appréciation et d'un respect sincères.

Dans un article sur la gratitude et la générosité intitulé *Gratitude and Generosity*, le docteur Peter Dingle nous explique que :

« La recherche a démontré que les niveaux de sérotonine (connue pour être l'élément chimique du bien-être) augmentent et que notre système immunitaire est stimulé lorsque nous faisons preuve de bonté ou que nous donnons. On obtient les mêmes résultats en observant un acte de bonté ou un don. Voilà pourquoi les gens qui donnent éprouvent du plaisir ou comme la Bible le dit : *'donnez et vous recevrez'*… Le contraire est aussi vrai. Le fait d'être cupide et de toujours prendre mène à plus d'insatisfaction, de disharmonie et à une mauvaise santé. Sur le plan physiologique, la sérotonine diminue et votre système immunitaire s'affaiblit. ».

Il s'agit là d'un des grands paradoxes de la réalité : plus vous donnez sans attente de recevoir, plus vous recevez, c'est inévitable. Redonner au monde n'a pas besoin d'être une rude épreuve. Il ne faut même pas y consacrer plus de temps ou d'énergie. Ce peut être quelque chose d'aussi simple que de sourire à votre conjoint lorsqu'il ou elle passe un mauvais quart d'heure, utiliser vos dons pour créer quelque chose ou faire un acte de bonté au hasard comme acheter une tasse de thé à un parfait étranger.

Il existe plusieurs façons de communiquer avec Dieu. Je trouve que la prière intentionnée est plus efficace lorsqu'on cherche à solutionner un problème ou à acquérir de la sagesse. Mais lorsque vous êtes dans la vérité la plus pure, lorsque vous faites ce que vous aimez, lorsque vous créez avec votre âme, lorsque vous faites des choses pour les autres et que vous donnez sans attente *alors, là, vous priez Dieu.* Et si vous donniez deux billets de dix dollars à un sans-abri et qu'il en donnait un à quelqu'un d'autre ? Qu'en penseriez-vous ? Seriez-vous en colère contre lui ? Ou votre cœur serait-il rempli d'amour et d'appréciation face à son geste de bonté, une sorte de miroir de ce que vous aviez fait ?

Nous nous rapprochons le plus de Dieu lorsque nous *utilisons* les dons qu'Il nous a donnés pour améliorer le monde comme Il le ferait dans une intention d'amour, de bonté et d'unité.

Voici quelques suggestions pour faire preuve de gratitude en redonnant :

♥ Si vous êtes reconnaissant de recevoir de l'amour dans votre vie, redonnez de l'amour.

♥ Si vous êtes reconnaissant d'avoir de la force, faite[s] confiance et la conviction.

♥ Si vous êtes reconnaissant de sentir la chaleur du soleil, allez faire une promenade.

♥ Si vous avez reçu un talent spécial, utilisez-le sans tarder. Faites rejaillir votre splendeur sur le monde.

♥ Si vous êtes reconnaissant d'avoir une bonne santé, faites de l'exercice, mangez sainement et prenez soin de votre santé.

♥ Si vous êtes reconnaissant d'avoir de beaux enfants, donnez-leur une vie remplie d'amour, d'attention et de soutien.

♥ Si vous aimez votre travail, rendez-vous au boulot chaque jour en étant emballé d'être là et donnez tout ce que vous avez.

♥ Si vous éprouvez de la gratitude envers votre famille, exprimez à chacun l'importance qu'il a à vos yeux.

♥ Si vous êtes reconnaissant de l'avenir qui vous est réservé, vivez pleinement votre vie!

La puissance de la gratitude peut déplacer des montagnes. Mais si vous désirez vraiment en avoir davantage, vous réaliser davantage et vivre la vie de vos rêves, vous devez dans ce cas être prêt à en *faire* plus. Vous devez être prêt à redonner à Dieu, à vous-même et au monde entier.

En commençant maintenant…

CHAPITRE 6

AU SUJET DE L'ÉCRITURE
D'UN JOURNAL QUOTIDIEN DE GRATITUDE

❧

«Dans deux mois à partir du moment où vous aurez commencé
à remercier consciemment pour l'abondance qui existe déjà
dans votre vie, vous ne serez plus la même personne.
Et vous aurez mis en action une ancienne loi spirituelle :
Plus vous avez de gratitude pour ce que vous avez déjà,
plus il vous est donné. »

SARAH BAN BREATHNACH

❧

Maintenant que nous avons jeté les bases des principes de la gratitude, il est temps de passer à l'ACTION. L'écriture d'un journal quotidien de gratitude est l'une des meilleures façons de commencer.

Un journal de gratitude est un cahier dans lequel vous pouvez citer et reconnaître les gens envers qui vous éprouvez de la reconnaissance. Le but est de changer particulièrement votre façon de penser, et en bout de ligne, votre vie. Des études ont démontré que les gens qui écrivent un journal quotidien de gratitude (ou qui font des listes de gratitude) voient leur bonheur, leur espoir, leur amour, leur enthousiasme et leur réussite augmenter immensément; c'est toute leur qualité de vie en général qui s'améliore.

Les psychologues Robert Emmons et Michael McCullough ont récemment réalisé une expérience durant laquelle ils ont comparé des personnes qui tenaient un journal de gratitude et des personnes qui n'en tenaient pas. Leur étude a démontré que les personnes qui tenaient un journal « faisaient de l'exercice plus régulièrement, avaient moins de symptômes physiques, étaient plus positives par rapport à leur vie en général et qu'elles étaient plus optimistes lorsqu'elles pensaient à la semaine à venir… ».

Leur recherche a révélé que les gens qui tenaient un journal de gratitude étaient plus sujets à faire des progrès dans la réalisation de leurs objectifs personnels autant sur le plan académique qu'interpersonnel que sur le plan de la santé. Et les jeunes adultes qui étaient reconnaissants sur une base quotidienne (par l'entremise d'exercices autoguidés) étaient beaucoup plus alertes, enthousiastes, déterminés, attentifs et ils avaient beaucoup plus d'énergie… ». (Justice 2007, pages 18-19)

En quoi consiste un journal de gratitude ?

Un journal de gratitude est un inventaire quotidien des choses pour lesquelles vous éprouvez un sentiment de gratitude

Que vous choisissiez de commencer la journée sur une note positive ou de la terminer dans un élan de grande appréciation, un journal de gratitude vous permettra assurément de vous adonner à la pratique quotidienne de la gratitude.

Un journal de gratitude quotidien vous aide à vous concentrer sur des solutions

Un journal quotidien de gratitude vous libérera des pensées négatives et vous permettra de vous concentrer sur les solutions plutôt que sur les problèmes. Il vous inspirera à devenir plus proactif en vous fixant de nouveaux objectifs et en les réalisant.

Un journal de gratitude quotidien produit des résultats

Un journal quotidien de gratitude vous permet de vous orienter vers les résultats en vous concentrant sur vos objectifs et vos réalisations plutôt que sur vos échecs. Il vous aide à visualiser le dénouement et vous sert de guide en ce qui a trait à votre plan d'action.

Un journal de gratitude quotidien est personnel

Un journal quotidien de gratitude met au jour votre côté aimant, aventureux, honnête et brave. (N'étouffez pas votre créativité par crainte que votre journal soit lu. Trouvez un endroit sûr où le cacher, si cela vous inquiète.)

Un journal de gratitude quotidien crée une « attitude empreinte de gratitude »

Un journal de gratitude quotidien est conçu pour vous faire prendre l'habitude d'être reconnaissant au quotidien. Cherchez continuellement des choses pour lesquelles vous pouvez éprouver de la gratitude et écrivez-les jusqu'à ce que la gratitude devienne une habitude.

Un journal de gratitude quotidien monte le taux vibratoire de toute votre vie

La pratique de la gratitude au quotidien augmentera encore davantage votre « fréquence » plus que toute autre méthode à laquelle vous pourriez penser. Combinez-la à des prières et/ou de la méditation afin de vraiment suralimenter votre vie de l'intérieur *et* de l'extérieur.

En écrivant chaque jour les choses pour lesquelles vous éprouvez de la gratitude, vous commencerez à ...

♥ être responsable de votre vie, de vos pensées et de vos actions;

♥ améliorer radicalement votre perspective en ce qui a trait à votre passé, votre présent et votre avenir;

♥ être inspiré à passer à l'action;

♥ accepter et pardonner;

♥ vivre dans l'instant présent;

♥ vous débarrasser de la peur et des inquiétudes;

♥ aimer davantage et faire moins de reproches;

♥ augmenter votre confiance et votre courage en général;

♥ grandir sur le plan spirituel.

Un journal quotidien de gratitude est une relation directe avec la toute-puissance de Dieu. C'est bien plus qu'une liste de choses pour lesquelles vous éprouvez de la gratitude; c'est le début d'un merveilleux voyage spirituel. Le but d'un journal quotidien de gratitude est de changer votre façon de penser, et ultimement, votre vie en remplaçant les anciennes pensées négatives par une nouvelle attitude de gratitude. Une fois que vous aurez adopté l'habitude d'être reconnaissant, vous connaîtrez le genre de sérénité, de paix, d'amour et de joie continus que vous recherchiez depuis toujours, mais que vous ne saviez comment retrouver. Et la beauté de l'exercice est qu'il ne vous faut que quelques minutes par jour pour y arriver.

De quelle façon écrire un journal quotidien de gratitude

Un journal quotidien de gratitude n'a pas besoin d'être tenu à un moment particulier de la journée. Peut-être êtes-vous une personne méthodique qui préfère l'écrire le matin pour préparer la journée qui vient. Vous préférez peut-être l'écrire au moment d'aller vous coucher, après avoir eu l'occasion de vous détendre, afin de penser à tout ce pour quoi vous avez éprouvé de la gratitude durant la journée. Et si le seul moment que vous avez est durant l'heure du dîner, c'est alors un aussi bon moment que les autres.

Dans la page qui vous est fournie à la fin de ce livre pour commencer votre journal quotidien de gratitude (ou visitez le www.LaGratitudeEtVosButs.com pour en obtenir une version téléchargeable gratuite), inscrivez quatre choses pour lesquelles vous éprouvez de la gratitude chaque jour. Même si vous écrivez la même chose jour après jour, c'est parfait. L'important, c'est d'éprouver de la gratitude pour *quelque chose*. J'ai déjà entendu dire : « *Amenez votre corps et votre esprit suivra* ». Continuez à écrire chaque jour dans votre journal quotidien de gratitude. Même si vous devez vous *forcer* pour être reconnaissant de quelque chose ou de quelqu'un, la magie opérera éventuellement. Et en un rien de temps, de plus en plus de choses s'ajouteront à votre liste et vous serez rempli de gratitude.

Voici un extrait de mon propre journal quotidien de gratitude qui énumère quelques raisons pour lesquelles j'ai déjà eu et j'ai encore de la gratitude :

Aujourd'hui, j'ai de la gratitude pour...

1. Mes talents. Merci pour tous les talents uniques qui m'ont été donnés et pour l'avenir prometteur que je suis en train de créer chaque jour grâce à eux. Je ne les échangerais pour rien au monde.

2. Mes enfants. Merci de m'avoir donné deux beaux enfants intelligents, joyeux et en santé qui me font rire et sourire chaque jour, car ils donnent un sens à ma vie.

3. Les jours de pluie. Merci pour les jours de pluie qui me donnent l'occasion de rester à la maison et de travailler sur mon livre pour que j'arrive à le terminer et que j'en reçoive les récompenses.

4. L'intuition. Merci pour toutes les choses que j'apprends continuellement à mon sujet et qui m'aident à m'améliorer, à être plus heureuse et plus en paix avec moi-même.

5. Le Canada. Merci de me permettre de vivre au Canada, là où les quatre saisons me donne de l'énergie et me motive continuellement à passer à l'action.

6. *La gratitude et VOS buts.* Merci pour l'extraordinaire avenir que je suis en train de créer avec mon livre et toutes les personnes que j'aide grâce à mon enseignement.

7. Ma mère. Merci pour ma mère et toutes ses leçons. À cause d'elles, j'ai été capable de trouver ma propre force et de réaliser mes rêves avec confiance et détermination.

C'est la méthode qui fonctionne le mieux pour moi. Cependant, celle que vous choisirez pour dresser votre liste sera tout à fait personnelle et aussi profitable.

De petites choses à se rappeler lorsqu'on écrit dans notre journal quotidien de gratitude

N'écrivez que des choses positives

Ce n'est pas l'endroit pour passer votre colère, pour faire des reproches ou vous plaindre. Ce n'est pas non plus l'endroit pour vous justifier et rationaliser les choses. C'est un endroit pour faire place à la gratitude, tout simplement et sans réserve! N'oubliez pas que votre vie extérieure reflète votre vie intérieure, alors ce n'est pas très sensé de consacrer de l'énergie à des choses négatives, surtout ici.

Écrivez résolument

Soyez précis et croyez aux choses pour lesquelles vous avez de la gratitude. Vous ne devriez pas avoir de mots comme *si, mais, genre de, presque* ou *peut-être* dans votre liste. Aucun manque d'enthousiasme n'est permis, si vous désirez accéder aux bienfaits que procure un journal quotidien de gratitude.

Concentrez-vous sur les avantages

Le but de rédiger un journal quotidien de gratitude est de vous inspirer à remarquer le côté positif de toute chose. En faisant cela de façon régulière, votre vie sera encore plus remplie de bonnes choses et il n'y aura plus de place pour les mauvaises. Engagez-vous à trouver les *avantages* et la façon dont chaque personne et chaque chose ont amélioré votre vie. C'est là que la gratitude prend forme et que la croissance personnelle se poursuit.

À mesure que vous écrivez, sentez vraiment la gratitude vous envahir. Souvenez-vous que la gratitude est bien plus qu'un simple mot. N'écrivez pas seulement les choses pour lesquelles vous éprouvez de la gratitude, mais créez l'expérience d'être reconnaissant en vous sentant reconnaissant envers ces choses. Le fait de tenir un journal de gratitude n'est autre chose qu'un rituel dénué de sens si vous ne faites pas vraiment l'expérience personnelle de la gratitude.

Établissez une routine

Si vous écrivez dans votre journal au même moment chaque jour, vous augmenterez vos chances de réussite.

Je préfère écrire dans mon journal le matin, pour moi, c'est une façon de bien commencer la journée. Cela m'aide à me concentrer sur la gratitude non seulement pour des choses que j'ai déjà, mais aussi pour les choses que j'*anticipe* avoir et que je désire créer en rapport avec mes objectifs quotidiens. Peu de temps après mon réveil, je me prépare un café, je m'assoie dans la cuisine crayon à la main et je laisse libre cours à l'écriture. Habituellement, mes enfants sautillent autour de moi, cherchant des façons d'attirer mon attention et je suis remplie de gratitude parce qu'ils donnent un sens à ma vie. Je les ajoute souvent à ma liste de gratitude tout comme ce café.

Mon approche consiste à (1) écrire la chose envers laquelle je suis reconnaissante et ensuite (2) inscrire un énoncé qui remercie Dieu pour celle-ci. Je remercie toujours pour au moins une chose que *j'ai déjà*. Je m'assure également d'éprouver de la gratitude *par anticipation* pour au moins une chose que *j'ai l'intention d'avoir*. Lorsque je remercie pour quelque chose que je désire par anticipation, je le fais en toute confiance grâce à chaque mot, je sais que j'attire ce résultat dans ma vie. Enfin, je fais l'effort (3) d'écrire *pourquoi* je suis reconnaissante envers chaque situation, chose ou personne en me concentrant sur les *avantages* que j'en tire.

Essayez d'inclure ces trois étapes dans vos énoncés (l'*objet* de votre gratitude, le *don* de la gratitude et l'*avantage* de l'objet); et plus particulièrement le dernier. C'est à ce moment-là que la gratitude commence à se matérialiser et qu'elle donne un sens à chaque énoncé sur votre liste.

Si l'idée d'un journal quotidien de gratitude est nouvelle pour vous et que vous ne savez pas par où commencer, voici quelques suggestions pour démarrer du bon pied :

- Si vous avez des problèmes avec quelqu'un ou quelque chose dans votre vie, alors c'est une bonne chose à ajouter à votre liste. Écrivez quelque chose qui vous rend reconnaissant par rapport à cette personne, cette chose ou cette situation. Trouvez l'avantage sous-jacent que vous oubliez peut-être. Demandez-vous ce que la personne ou la chose vous a apporté, même de façon involontaire. Ne vous concentrez surtout pas uniquement sur la douleur, mais sur les avantages. Jour après jour, continuez d'ajouter cette personne ou cette circonstance pénible à votre liste jusqu'à ce que vos conflits disparaissent. Je sais que cela peut sembler comme tout un programme, mais si vous procédez de la sorte, vous verrez que cela fonctionne.

- La *deuxième* chose à intégrer dans votre journal quotidien de gratitude pourrait être quelque chose pour laquelle vous éprouvez de la gratitude à votre égard. Ce pourrait être votre beau sourire, votre générosité, vos talents ou votre doctorat. Toutes les réponses sont bonnes. Et n'oubliez pas de mentionner comment chaque qualité vous apporte un avantage dans la vie! Vous avez tant à offrir, mais vous ne le savez ou ne le ressentez peut-être pas. En vous forçant à examiner les choses pour lesquelles vous éprouvez de la gratitude à votre sujet, autant sur le plan physique, mental que spirituel, etc., vous apprenez à vous aimer et à vous apprécier de plus en plus chaque jour et les autres en feront de même.

- Ayez de la gratitude *par anticipation* pour au moins une chose que vous désirez obtenir.

- Le reste de la liste est entièrement à votre discrétion. Si vous êtes reconnaissant envers plus de quatre choses, alors écrivez-en plus, mais essayez toujours d'écrire au moins quatre choses, peu importe les circonstances de votre vie présente.

À mesure que les mois passeront et que vous remplirez votre journal quotidien de gratitude, un changement intérieur se *produira*. C'est une promesse que je vous fais. Vous serez ravi de découvrir à quel point vous serez rempli d'espoir et vous aurez l'impression d'avoir atteint votre but. Votre perspective changera et vous ressentirez un nouveau sens d'accomplissement vous envahir. En quoi *consiste* ce nouveau sens d'accomplissement ? C'est votre attitude de gratitude qui fait son œuvre et qui transforme vos rêves en réalité!

Cependant, la gratitude ne doit pas se réduire à votre liste. Faites un effort pour éprouver de la gratitude tout au long de la journée. Je trouve que ma liste de gratitude est une excellente façon de commencer la journée. Elle me permet de me libérer l'esprit des pensées négatives et de me concentrer sur toutes les possibilités que m'offre cette nouvelle journée. Ma liste de gratitude me sert de plan pour me rappeler ce que je peux faire et ce que je dois faire pour atteindre chaque but. La gratitude constante a aussi été le meilleur remède pour contenir mes erreurs et combattre mon insécurité.

Vous pouvez écrire plus de quatre choses pour lesquelles vous éprouvez de la gratitude chaque jour. Je suis certaine que si vous vous mettiez à y penser, vous pourriez en écrire au-delà de cinquante. Écrivez-les dans votre journal. Cependant rien ne vous permettra de vivre de manière positive et productive comme la pratique régulière et continue de la gratitude. Trouvez quelque chose à mettre dans votre poche, attachez une corde à votre poignet, portez un médaillon autour du cou ou *n'importe quoi d'autre*. Touchez-y le plus souvent possible en faisant un effort conscient pour être reconnaissant de quelque chose à l'instant même. Il n'y a rien d'autre qui puisse vous mettre dans un état d'esprit de gratitude et vous en faire prendre l'habitude. Et avant longtemps, vous n'aurez même pas besoin d'y penser pour être reconnaissant; ce sera devenu un réflexe naturel comme respirer.

CHAPITRE 7

PASSER À L'ACTION :
SE FIXER DES BUTS ET LES RÉALISER
EN TOUTE GRATITUDE

❧❧

« Je crois que la vie est constamment en train de tester notre niveau d'engagement et les plus grandes récompenses de la vie sont réservées à ceux qui font preuve d'un engagement total et permanent à agir jusqu'à l'atteinte de leur but. Ce degré de détermination peut déplacer des montagnes, mais il doit être soutenu. Aussi simple que cela puisse paraître, c'est encore le dénominateur commun qui sépare ceux qui réalisent leurs rêves de ceux qui éprouvent du regret toute leur vie. »

ANTHONY ROBBINS

❧❧

Vous pouvez être reconnaissant sans vous fixer de buts et vous pouvez vous fixer des buts sans être reconnaissant. Les gens font toujours les deux et ils échouent aussi aux deux. En combinant une gratitude permanente avec la fixation de vos buts, vous obtenez un outil puissant pour créer des résultats durables. Il s'agit de la formule de réussite la plus rapide et la meilleure qui soit. Cette combinaison est si puissante qu'elle peut réellement commencer à transformer votre avenir immédiatement. Et c'est pour cette raison que nous les avons jumelées dans un format puissant et propice à l'action qu'est un journal quotidien de gratitude.

Voici son fonctionnement. La gratitude (*par anticipation*) est un acte de foi. La foi crée un sentiment de confiance de *mériter et d'être capable* de recevoir tout ce que vous désirez. Tout comme la gratitude, les buts sont plus puissants lorsqu'ils sont définis dans la foi. La pratique de la *gratitude par anticipation* crée cette croyance. Apprécier quelque chose par anticipation vous permet d'avoir un aperçu de votre vie une fois que vous en aurez reçu les bienfaits. Cet aperçu vous motivera à vous fixer des buts et à travailler en étant confiant que ce que vous faites (et pensez) maintenant vous permet de les réaliser.

Façonnez votre avenir en travaillant à réaliser vos buts aujourd'hui même. Sachez que vos pensées et vos actions vous aident à faire en sorte qu'ils se réalisent. Comme ce serait merveilleux d'avoir *la vie dont vous avez toujours rêvé ?* Rêvez grand! En autant que votre rêve soit soutenu par des actions, ce n'est plus désormais un rêve, n'est-ce pas ? La pratique de la gratitude change vos pensées et vos émotions. Les émotions négatives sont remplacées par des pensées et des émotions positives. Votre fréquence passe à un niveau plus élevé. Cependant, le monde ne vous accordera pas la vie fabuleuse dont vous rêvez uniquement parce que vous avez intégré la spiritualité à votre vie et que vous avez désormais une attitude plus positive. J'aimerais bien que ce soit aussi facile! Non, il ne suffit pas d'avoir des pensées positives; vous devez être prêt à *poser* des gestes qui soutiennent votre nouvelle perspective si vous voulez atteindre les résultats désirés. Autrement dit…

Vous devez être prêt à passer à l'action, car

✣

... la foi sans les œuvres est stérile.

Jacques 2:20

✣

Ce livre vous guidera, vous enseignera et vous inspirera à passer à l'action, mais je ne peux pas vous promettre que vous obtiendrez de véritables bienfaits seulement en le lisant. Vous devez être prêt à appliquer ces principes dans votre vie. La pensée positive doit être suivie d'une *action* positive pour être efficace. L'action brasse ce qui se trouve dans votre casserole, elle brasse les cartes et met les pensées et les plans en mouvement puisqu'ils seraient autrement restés enfermés dans votre imagination.

Cette routine a-t-elle des airs de déjà vu ? Vous arrivez à la maison après le travail et vous êtes trop fatigué pour faire quoi que ce soit. Vous vous laissez tomber sur le sofa et vous vous installez pour la soirée afin d'entreprendre votre *nouvelle* activité : regarder la télé. Vous vous dites, quelle *nouvelle* activité préférée ?

Retournons en arrière, très loin peut-être, à l'époque où vous ne travailliez pas aussi dur. Vous aviez certainement plus de temps pour profiter de ce que la vie avait à vous offrir à ce moment-là, que ce soit vos amis, l'amour, l'aventure, la spontanéité et vous étiez motivé à l'idée d'un avenir rempli d'infinies possibilités. Ensuite, en cours de route, vous avez été happé par la vie et vous êtes descendu d'une coche ou deux. Vous êtes devenu fatigué et vous avez probablement pris du poids. Vous vous êtes retrouvé dans une routine quotidienne, vous avez perdu votre motivation et la télé (ou quelque autre compensation) est devenue votre nouvelle activité préférée. Vous vous reconnaissez ? Si oui, ne vous en faites pas, vous n'êtes pas seul.

De jour en jour, la plupart des gens se réveillent le matin, vont travailler, reviennent à la maison le soir, mangent, regardent la télé et vont ensuite se coucher, épuisés par une journée bien remplie. Ils remettent le volant de leur vie aux autres en renonçant à contrôler leur destinée et ils se plaignent ensuite de la promenade. Ils ne sont pas satisfaits de leur vie et ils espèrent qu'un jour les choses vont s'améliorer, mais en secret, ils doutent que cela va vraiment se produire. Ils succombent à l'idée qu'ainsi va la vie. Ils sont à jamais voués à être une abeille ouvrière et rien de plus.

La vie n'est pas faite pour être vécue de cette façon. Mais comment pouvons-nous arriver à sortir de ce cercle vicieux ?

Devenez une personne qui agit et commencez à vous fixer des buts!

De quelle façon se fixer des buts

Se fixer des buts est une action qui fonctionne. Les études ont démontré que d'avoir un but dans la vie améliore considérablement le rendement général d'une personne dans presque tous les domaines. Lorsque nous ne savons pas pourquoi nous faisons les choses, nous les faisons à moitié. Lorsque nous ne savons pas ce que nous voulons faire, il y a de bonnes chances pour que nous finissions par ne rien faire du tout. Un but donne un sens et une direction à notre vie. Chaque action devient alors significative.

Peut-être voulez-vous améliorer votre mariage, votre emploi ou votre relation avec vos enfants. Peut-être voulez-vous démarrer votre propre entreprise. Peut-être voulez-vous seulement perdre quelques kilos en trop ou peut-être désirez-vous quelque chose de plus grand, comme la fortune et la gloire. Peu importe ce que vous désirez, petit ou grand, vous pouvez l'atteindre en vous fixant des buts précis pour vous y aider.

CHAPITRE 8

LA FIXATION DE BUTS EST UN PROCESSUS

ৡৡ৯

« Les actions d'un homme déterminent son intelligence. »
NAPOLEON HILL

ৡৡ৯

L es buts que vous vous fixez ne sont pas des affirmations écrites que vous lisez à haute voix à répétition chaque jour en espérant qu'ils se réalisent. Ce ne sont pas non plus des trucs que vous écrivez une fois, que vous placez sur un babillard et que vous oubliez par la suite. Par définition, un but est quelque chose que vous *visez à atteindre*. Lorsque vous vous fixez un but, vous allez au-delà de l'objectif. Vous entreprenez un *processus* et vous déterminez *ce que* vous désirez accomplir, la raison pour laquelle vous désirez l'accomplir et comment vous allez y arriver. C'est quelque chose que vous développez, que vous peaufinez et sur laquelle vous travaillez au fil du temps de manière continue et en étapes progressives. Et à ce titre, ce processus devrait être motivant, pleinement satisfaisant et une occasion de pardonner.

Les gens abandonnent souvent leurs buts parce qu'ils ont peur d'un mot tout simple : « comment ». Lorsqu'ils doivent répondre à la question à savoir « comment » ils vont atteindre leurs objectifs, ils sont gagnés par la peur en raison de *ce qu'ils ne savent pas* plutôt que de se concentrer sur ce qu'ils savent. Ils deviennent dépassés par l'ampleur de la tâche et pensent qu'ils doivent avoir tout compris dès le départ. Finalement, ils abandonnent et se retrouvent devant un autre essai raté. Voilà une autre raison de croire qu'ils n'auront jamais la chance d'avoir une belle vie.

Ce qu'ils ne comprennent pas c'est que de *se fixer des buts est un processus d'apprentissage et d'ajustement personnel.* Il importe avant tout de *commencer* et d'être déterminé à *finir*. Toutes les étapes entre les deux vont s'accomplir à mesure que vous avancez. Vous pouvez être sûr que le processus vous amènera où vous désirez aller *si* vous vous engagez à atteindre chaque but jusqu'à la fin. Et chaque but que vous aurez atteint vous aidera à atteindre le *prochain* but, et le suivant et ainsi de suite. Vous n'apprenez pas du résultat ou de l'objectif en lui-même, mais bien du processus qui vous apporte des résultats.

Ne laissez pas les détails entourant la *façon* de vous y prendre pour réaliser un projet vous freiner et vous empêcher de jeter les premières bases de ce projet. En fait, vous n'avez pas à tout savoir (ou *quoi que ce soit en fait*) lorsque vous commencez. Ce qui importe le plus c'est de comprendre *pourquoi* vous voulez atteindre ce but. Tout comme c'est le cas pour la gratitude, le fait de savoir ce que vous apportera votre but une fois atteint augmente grandement les chances de ne pas vous en écarter jusqu'à ce qu'il soit achevé. Par exemple, si l'on vous dit que si vous atteignez votre quota de ventes annuelles à la fin de l'année, vous recevrez alors une prime de 25 000 $, je vous assure que vous allez vous démener pour l'atteindre. Mais si votre patron vous dit seulement de l'atteindre parce que c'est une bonne chose pour l'entreprise, je doute fortement que vous aurez la motivation nécessaire pour même vous approcher de votre cible. Il n'y a tout simplement pas suffisamment d'avantages pour vous, la *raison* pour laquelle vous le faites n'a pas d'impact assez important sur votre vie pour le réaliser.

❧❧

« Planifiez chaque étape attentivement, d'heure en heure,
de jour en jour, de mois en mois.
Une activité concertée et un enthousiasme soutenu
sont à la source même de votre puissance. »
PAUL J. MEYER

❧❧

Croyez en votre idée et entreprenez les actions nécessaires pour atteindre vos buts en établissant des objectifs à long et à court terme ainsi que des objectifs quotidiens et des étapes à franchir chaque jour (je vous donnerai de plus amples explications dans les chapitres suivants). Vous trouverez la « façon » de les réaliser en cours de route. Il vous faudra peut-être un jour ou même deux ans, mais tant et aussi longtemps que vous vous accrocherez à votre rêve et que vous suivrez chacune des étapes du *processus* comme il se doit avec ténacité et détermination, alors la « façon » de les réaliser se présentera à vous. Lorsque vous serez passionné par vos buts, vos pensées s'aligneront sur les choses qui s'y rapportent. Vous verrez de plus en plus comment le soutien et les opportunités sont à portée de la main pour vous aider à atteindre vos buts. Et lorsqu'un plan se manifestera, vous serez en mesure de passer à l'action sans hésiter.

De jour en jour, à mesure que vous travaillerez à réaliser votre objectif, votre vie se construira et les choses changeront inévitablement, y compris vos plans et vos priorités. Lorsque cela se produira, vous devrez réévaluer et réajuster vos buts pour qu'ils soient adaptés à votre nouveau style de vie ou votre nouvelle perspective. Tout cela s'inscrit dans le processus de fixation de buts.

Au-delà de la pensée positive

Les gens disent souvent que la pensée et les paroles positives (comme de dire par exemple « lorsque » plutôt que « si ») font en sorte qu'il est plus probable que les choses se produisent. Par exemple, il est préférable de dire « Lorsque j'aurai obtenu cet emploi » plutôt que « Si j'obtiens cet emploi ». Oui, en effet, un changement positif dans les mots utilisés peut aider, mais sans aucune action concrète, ce ne sont que des *mots*!

Avant que je ne commence à me fixer des buts et à en faire un processus, les seules choses que j'arrivais à créer étaient des dossiers remplis d'idées, des boîtes de projets inachevés et un amoncellement de dettes. J'ai essayé toutes les recettes de la pensée et des paroles positives et je n'ai obtenu aucun résultat. Je me suis fixé *plusieurs* buts, mais habituellement je les oubliais ou je les abandonnais avant de faire des progrès significatifs. Tout cela parce que *se fixer des buts* et *s'engager dans le processus* de les réaliser sont deux choses tout à fait différentes.

La gratitude m'a vraiment aidée à me sentir à nouveau passionnée par ma vie. Cependant, j'ai réalisé que si je voulais prendre ma vie en main et changer la façon dont les choses évoluaient, je devais faire bien plus que seulement remercier. Je devais passer à l'action en commençant par écrire ce livre. Un jour, seulement quelques semaines après que ma nouvelle vie et mon nouveau projet n'aient débuté, j'ai commencé à me sentir dépassée. *Après tout, je ne connais pas grand-chose à l'écriture d'un livre.* Mes progrès ont ralenti et j'ai commencé à me tourner vers d'autres choses et d'autres idées pour d'autres « projets » auxquels m'occuper. Je suis certaine que vous savez ce qui s'est passé par la suite …

Vous avez bien deviné : le journal quotidien de gratitude a été mis aux oubliettes. Mais je n'étais pas du tout surprise. Voyez-vous, me lancer tête baissée dans des projets et abandonner par la suite avait toujours été mon *modus operandi*. Au début de chacun des projets ou des emplois, j'évoquais des grandes visions de ce que je voulais que mon avenir soit. Je deviendrais riche, célèbre et j'aurais beaucoup de succès et tout cela m'apporterait beaucoup d'amour et de respect.

Je faisais un effort conscient pour dire des choses positives du genre « lorsque cela se produira » plutôt que « si cela se produit ». Je devenais tout enthousiasmée, je faisais une foule de recherches, je faisais un appel ou deux et je dépensais même de l'argent que nous n'avions pas pour acheter des échantillons ou obtenir des services (dont certains étaient très coûteux) et que je croyais absolument nécessaires pour réussir. Puis ensuite, environ trois semaines après le début du projet, je perdais intérêt, j'avais peur, j'étais incertaine et trop occupée (ou toute autre excuse) et j'abandonnais. Tout l'argent, toute la bonne volonté et tous les efforts mis dans le projet partaient en fumée.

Un soir, j'ai abordé la question de mon nouveau projet avec mon mari tout excitée à l'idée de faire un journal quotidien de gratitude. Bizarrement, il n'était pas aussi enchanté que moi, et c'est là qu'il s'est tourné vers moi et qu'il m'a dit quelque chose de très simple et de très pénible à entendre, mais si vrai que ma vie a changé du tout au tout pour toujours. Il m'a dit : « Stacey, je pense que tu es capable de faire tout ce que tu décides de faire une fois que tu t'y mets, mais de grâce, termine *quelque chose* pour une fois. » Wow! Alors, c'était ce qu'il pensait de moi. Une personne qui ne terminait jamais ce qu'elle commençait! Après un court moment d'apitoiement sur mon sort et de ressentiment, son message a vraiment fait son chemin. Et pour la première fois, j'ai pu voir ce que les autres savaient déjà. Je parlais beaucoup sans jamais rien entreprendre ou terminer.

Je n'arrivais jamais à compléter ce que je commençais. Même si c'était un projet auquel je tenais de tout mon cœur, je finissais toujours par me trouver des excuses pour ne pas le terminer. C'était comme si je portais une ceinture élastique qui me laissait courir jusqu'au bout, puis qui me faisait rebondir aussitôt que j'arrivais à prendre mon élan. Mon ancien système de croyances voulait désespérément que j'abandonne, tandis que le nouveau me faisait découvrir cette partie en moi qui avait tout le pouvoir de réussir et qui était déterminée à y arriver. Cette fois-ci, ce serait différent. Maintenant, j'étais déterminée à montrer au monde (y compris moi-même) que j'étais capable de terminer *quelque chose;* c'est alors que le combat a commencé.

Un jour, alors que j'étais au téléphone avec ma mère et que nous parlions de sa nouvelle et extraordinaire invention, je me suis mise à être tout enthousiasmée pour elle et je lui ai demandé ce qu'elle pensait faire avec celle-ci. Son explication m'a fait comprendre qu'elle *ne planifiait pas en faire grand chose.* Tout comme le reste de ses idées, celle-ci resterait sur une tablette pour se couvrir de poussière. Son indifférence a commencé à faire monter en moi de la frustration et je me suis demandé *pourquoi elle abandonnait aussi facilement.*

Je me suis fâchée et je l'ai essentiellement rendue responsable de mon état. Je sentais que si elle était vraiment allée jusqu'au bout d'une idée, une seule fois, alors peut-être que moi aussi j'aurais pu faire la même chose. Après avoir raccroché et m'être remise de mon arrogance, j'ai réalisé que je n'étais pas en colère contre elle, mais bien contre moi. Ce n'était pas de sa faute si je ne terminais jamais ce que je commençais. Elle n'avait été rien d'autre que mon reflet dans le miroir. Et je détestais ce que je voyais, c'est-à-dire *quelqu'un ayant toujours rêvé d'en avoir plus et d'être davantage, mais qui ne faisait jamais rien pour y arriver.* C'était comme si ma mère passait à côté de sa vie et j'avais peur de faire la même chose.

Bien que mon père fût davantage une personne qui prenait des risques pour avoir été propriétaire de plusieurs petites entreprises tout au long de sa vie, j'avais l'impression qu'il voulait me protéger d'avoir à me battre en m'encourageant à me tourner vers une carrière « plus sûre ». Dans mon subconscient, une lutte faisait rage à l'intérieur de moi. Une partie de moi voulait être une personne qui prenait des risques afin de faire quelque chose de ma vie. Mais l'autre partie de moi voulait jouer de manière plus sécurisante parce que je ne croyais pas avoir suffisamment d'expérience ou de ressources pour réaliser quoi que ce soit d'important. Même si je sentais que j'étais née pour faire de grandes choses, c'était comme si ma génétique me prédestinait à échouer.

Quelques jours plus tard, le déclic s'est fait. C'était si simple et si fort que ma façon d'agir en serait à jamais transformée. Ce n'était ni ma mère ni mon père qui me retenait, mais *ma propre perception de moi-même basée sur mes expériences passées.* J'ai choisi de prendre l'entière responsabilité de ma vie et je me suis dit : « Je ne suis pas ma mère, ni mon père ni personne d'autre. Je suis moi et je dois faire les choses à ma façon et à mon rythme si je veux être heureuse, comblée et accomplie ». À cet instant précis, j'ai été libérée des liens qui me retenaient à mon passé. J'ai cessé de blâmer tout un chacun pour mes fautes et mes échecs ainsi que pour le besoin que j'avais de plaire aux autres, et cela, à mon détriment. J'ai repris le contrôle de ma vie en faisant la seule chose qui me permettrait d'être plus solide dans ma nouvelle attitude et je suis passée à l'action immédiatement!

Je me suis assise avec un calendrier devant moi et je me suis fixé mon premier objectif à court terme, c'est-à-dire faire sept heures d'écriture en sept jours. Je l'ai décomposé en plus petits objectifs plus réalisables, c'est-à-dire d'écrire pendant une heure chaque jour pour que le travail se fasse. J'ai dépassé mes appréhensions et ma peur du manque d'expérience en lisant et en faisant autant de recherches qu'il m'était possible d'en faire. Avec chaque nouvelle journée, je sentais la confiance s'installer en moi. J'étais capable de surmonter les choses qui, auparavant, me paralysaient :

l'incertitude, la procrastination, le manque de temps, la paresse et toute autre déception qui pouvait survenir, en me concentrant afin de vivre un jour à la fois.

De plus, j'étais vraiment enthousiasmée par mes buts parce que, pour la première fois, je croyais vraiment que je *pouvais* terminer ce sur quoi je me concentrais. La meilleure partie de chaque jour devint cette heure durant laquelle j'avais l'occasion de travailler sur mes objectifs. Aussi égoïste que cela puisse paraître, je chérissais ce moment plus que tout autre parce que je faisais quelque chose de véritablement important. *Quelque chose seulement pour moi.* D'un instant à l'autre, de jour en jour, je continuais à travailler de cette façon. Et c'est ainsi que *La gratitude et VOS buts* a vu le jour.

De la conception à la réalisation

« Soyez vous-même le changement que vous voulez voir
dans le monde. »
MAHATMA GANDHI

La plupart des méthodes de fixation de buts échouent parce qu'elles mettent trop d'emphase sur les calendriers et les résultats finaux et accordent trop peu d'importance sur le *processus* d'atteinte de chaque but. Étant donné qu'il y a beaucoup d'emphase sur le *moment* au lieu de la *façon* pour atteindre vos buts, vous finissez par récolter moins que ce que vous rêviez d'obtenir, sans avoir su *comment* y arriver. Le fait d'avoir une échéance clairement définie n'est pas nécessairement le facteur le plus important pour réussir à atteindre vos buts puisque c'est le *processus* qui détermine les résultats.

« Un but est un rêve ayant une échéance ». Que ressentez-vous lorsque vous lisez cette citation ? C'était comme si vos rêves venaient à échéance si vous ne les réalisiez pas avant une certaine date et une certaine heure. Je ne sais pas ce que vous en pensez, mais ce concept fait en sorte que j'ai l'impression d'avoir échoué avant même d'avoir commencé. Ne vous y méprenez pas, je crois qu'avoir une échéance est très important pour pouvoir s'organiser et avoir une cible à atteindre. Je ne considère tout simplement pas que ce soit aussi important que les étapes continues qui sont nécessaires (le processus) pour franchir chacune des étapes menant à l'atteinte de ce but.

Les échéances vous permettent de structurer votre plan d'action en vous donnant un but auquel travailler tout en vous donnant une sorte de calendrier à partir duquel travailler. Les échéances sont la cible. Elles sont également la première étape de la phase de planification et la destination d'un parcours. Sans destination, vous n'avez aucune raison de quitter votre port d'attache, mais lorsque vous savez exactement où vous désirez aller, vous pouvez commencer à planifier un trajet pour vous y rendre.

Par exemple, si vous désirez perdre du poids, il se peut fort bien que vous réussissiez si vous vous dites : « Je veux perdre vingt kilos en douze mois » plutôt que « Je veux perdre vingt kilos ». Le fait d'avoir une échéance vous aidera à savoir ce que vous devez faire chaque mois ou même chaque semaine pour perdre ce poids. De cette façon, tout ce que vous avez à faire, c'est de faire un plan pour arriver à perdre quelques grammes par semaine et savoir ce que vous devez faire chaque jour pour vous assurer d'atteindre votre but. Sans une échéance de douze mois, vous n'aurez rien à viser et aucune façon de calculer vraiment ce qui doit être réalisé à chacune des étapes.

Le fait d'avoir un échéancier *idéal* est aussi important puisqu'il vous inspire un sentiment d'urgence. Et sans cette urgence, vous pourriez rester bloqué au même point dans un mode « un jour… ce sera mon tour » et vous risqueriez de remettre les choses et, possiblement, ne jamais rien voir se réaliser. À moins que votre but ne soit assorti d'une échéance prédéterminée (c.-à-d. que vous vouliez avoir atteint un certain poids pour votre mariage afin que votre robe ou votre complet vous fasse), les échéances ne devraient être considérées comme rien d'autre qu'un *idéal*. Si vous leur accordez trop d'attention, elles peuvent vous empêcher de vous concentrer sur ce qui est vraiment important, c'est-à-dire les actions immédiates qui sont nécessaires pour commencer et les actions continues qui sont requises pour conserver votre élan jusqu'à ce que votre but soit atteint.

Je sais qu'en raison de mon horaire chargé, il m'arrive parfois d'avoir des imprévus qui m'empêchent de réaliser mes objectifs quotidiens. Par exemple, mon but était de terminer ce livre en trois mois à partir du jour où j'ai commencé à l'écrire. Mais avec seulement une heure de travail à y consacrer chaque jour (plus ou moins), en plus des nombreux revers et surprises avec lesquels j'ai dû jongler en cours de route, il m'a fallu beaucoup plus de temps pour le terminer que je ne l'avais prévu. En fait, il m'a fallu trois ans de plus!

Ai-je échoué parce que je n'ai pas pu satisfaire mon échéance originale ? Bien sûr que non! Le livre est fait maintenant, n'est-ce pas ? Pouvez-vous imaginer ce qui ce serait passé si j'avais décidé de mettre mon rêve au rancart uniquement parce que je n'étais pas en mesure de satisfaire la date de tombée que je m'étais moi-même fixée ? Et pourtant, c'est ce que font plusieurs personnes qui échouent. Pourquoi ? Parce qu'elles accordent beaucoup trop d'importance à deux choses lorsqu'elles se fixent un but : 1) *la chose* qu'elles veulent réaliser, et 2) *le moment* où elles veulent que ce soit réalisé. Elles ne portent pas assez d'attention au *processus* leur permettant d'atteindre leur but.

❧❧

« Ne laissez pas la peur du temps qu'il vous faudra
pour accomplir quelque chose
vous empêcher de la réaliser. De toute façon, le temps passera.
Alors, il vaut mieux l'utiliser le plus adéquatement possible. »

EARL NIGHTINGALE

❧❧

Une fois que vous aurez écrit vos buts, vous devrez mettre toute votre énergie à savoir ce que vous pouvez faire *aujourd'hui* pour démarrer le processus (c.-à-d. aller faire des recherches sur Google, envoyer des cv, faire un appel, commander un manuel de formation, éteindre cette cigarette, prendre rendez-vous avec un entraîneur personnel, organiser une rencontre avec votre patron, etc.), plutôt que d'essayer de prédire à quel moment vous aurez atteint votre but.

Élaborez des plans et établissez des échéances qui vous *inspirent à passer à l'action*, et non qui vous pèsent. Prenez le temps d'essayer de calculer combien de temps vous aurez besoin pour atteindre vos buts en vous basant sur votre expérience, votre cadence, et bien sûr, votre niveau d'engagement envers cet objectif. N'oubliez pas qu'il ne s'agit que d'une estimation. S'il vous arrive de rater votre cible et que vous n'atteignez votre but au moment où vous l'aviez estimé, ne vous stressez pas pour rien. Accordez-vous un nouveau délai et faites tout en votre possible pour l'atteindre.

Le journal quotidien de gratitude

Les enseignants spécialisés en développement personnel qui rédigent la plupart des programmes de fixation de buts semblent assumer que vous savez exactement ce que vous voulez et comment planifier votre temps pour atteindre votre but. Alors, ils ne s'occupent pas des détails à savoir de quelle façon vous aider à trouver un « moyen » de vraiment arriver à réaliser cet objectif. Leurs méthodes ne conviennent pas aux gens ordinaires comme moi qui doutent de leurs capacités, manquent d'expérience, procrastinent et ont de la difficulté à gérer leur temps. Elles n'ont pas été conçues pour les personnes qui n'ont jamais réalisé quoi que ce soit de vraiment important. Et elles ne sont définitivement pas pour ceux d'entre nous qui deviennent confus ou frustrés jusqu'aux larmes lorsque nous ne savons pas ce que nous faisons. Je suppose que ces méthodes doivent avoir été élaborées pour ce un pour cent des gens avancés qui savent exactement *ce qu'ils veulent* et comment l'obtenir. (Mais, bien sûr, ces gens n'ont probablement même pas besoin de lire des livres sur la fixation de buts.)

Ce que vous êtes ou ce que vous désirez n'a pas vraiment d'importance. Si vous désirez atteindre vos buts, et bien sûr, vous le désirez ardemment ou vous ne seriez pas en train de lire ce livre, vous devez vous engager à faire des progrès réguliers, continus et inspirés jusqu'à ce que votre objectif soit réalisé. C'est ce dont il est question dans la partie finale de ce livre, le journal quotidien de gratitude. Il s'agit de simplifier le *processus*, de trouver une façon d'atteindre tous vos objectifs, petits ou grands, sans effort, du début à la fin, une étape à la fois.

Vous devriez avoir le sentiment que vos buts vont être atteints tout naturellement et facilement. Ils devraient bien s'insérer dans *votre* horaire et s'adapter à *votre* style de vie. Ils ne devraient pas être si exigeants qu'ils vont vous donner le sentiment d'être dépassé par les événements et vous donner le goût d'abandonner. Par exemple, si vous essayez d'écrire un livre, il est préférable de vous fixer l'objectif d'écrire une page par jour et de *vraiment l'atteindre* que de vous fixer l'objectif d'écrire dix pages par jour et d'abandonner après une semaine ou deux.

Une fois que les gens sont dépassés ou désillusionnés, ils abandonnent ou, pire encore, ils n'essaient plus du tout. Il est préférable de vraiment atteindre un but même s'il vous faut plus de temps que vous ne l'auriez espéré que de continuellement établir des objectifs ambitieux et de ne pas réussir à les atteindre. De petites actions sur une base quotidienne finissent par s'accumuler, contrairement à des semaines de procrastination qui ne mènent nulle part. Ce qui fait que le journal quotidien de gratitude soit un outil aussi puissant pour se fixer des buts est qu'en fait, c'est justement une action entreprise au *quotidien*! Il se concentre sur des progrès réguliers et gérables; autrement dit, les moyens que vous allez prendre pour que les choses se produisent une étape à la fois. Il agit non seulement comme un aide-mémoire des buts que vous voulez atteindre, mais comme votre plan d'action quotidien pour vous assurer d'atteindre vos buts.

Le journal quotidien de gratitude agit de telle sorte que l'atteinte de tous vos buts soit facile, faisable et sans aucune contrainte. Il vous accompagne tout au long du processus de fixation de buts en vous maintenant sur la bonne voie et concentré sur *ce que vous voulez atteindre* et sur la *façon* de vous y prendre pour y arriver, et non seulement sur le *moment* auquel votre objectif doit être réalisé. Il vous encourage également à constamment réévaluer et retravailler vos objectifs pour qu'ils puissent s'adapter à votre style de vie, et non le contraire.

C'est votre vie que vous êtes en train de créer ici, alors la planifier ne devrait pas vous faire peur! Tandis que la plupart des autres méthodes vous font écrire votre but, ensuite le regarder à quelques jours, semaines ou mois d'intervalle, le journal quotidien de gratitude vous aidera à vous responsabiliser *chaque jour* par rapport à vos buts. Lorsque nous nous fixons des buts et que nous les mettons de côté pour y revenir des semaines et des mois plus tard, ils deviennent abstraits et intimidants.

C'est ce qui cause des problèmes tels que la peur et la procrastination. Par contre, si nos buts sont omniprésents et que nous y travaillons *un peu chaque jour*, alors ils font partie de nous, ils nous motivent et nous encouragent. Après quelques semaines de pratique, la fixation de buts se fond naturellement dans notre vie. Il ne s'agit plus désormais d'une chose intimidante et de promesses sans lendemain qui sont oubliées le jour suivant après les avoir écrites.

Il s'agit d'un programme très indulgent. Chaque jour, lorsque vous écrivez dans votre journal, vous avez une nouvelle chance de travailler vers la réalisation de vos objectifs et même de les modifier si c'est ce que vous désirez. S'il arrive que vous ne puissiez pas écrire dans votre journal un jour, une semaine ou même un mois durant, ne vous en faites pas. Aussitôt que vous pourrez recommencer, vous reprendrez le rythme en réessayant à ce moment-là. Ce journal n'est pas conçu pour que vous vous sentiez mal, coupable ou vous donner un sentiment d'échec. Il est conçu pour vous soutenir, peu importe la personne que vous êtes ou le style de vie que vous adoptez.

CHAPITRE 9

DONNER VIE À SES PENSÉES

❧❧

« Dans les moments déterminants de votre vie,
vous avez deux choix :
soit que vous avancez en choisissant la foi et la solidité,
soit que vous reculez en ressentant la peur. »

JAMES ARTHUR RAY

❧❧

Il est facile d'avoir un but, mais c'est une toute autre chose que d'arriver à l'atteindre. Lorsque c'est le cas, c'est ce que j'appelle « réussir ». La réussite n'est pas déterminée par ce que vous possédez ou ce que vous faites, mais par votre sens d'accomplissement. Ce qui apparaît comme une réussite pour certains ne l'est pas du tout pour d'autres.

J'ai une vision de ce à quoi je voudrais que mon avenir ressemble. Je n'y suis peut-être pas encore arrivée, mais je sens que je réussis chaque jour que je travaille à réaliser mes objectifs. En fait, si je devais mourir aujourd'hui, je me sentirais tout à fait en paix avec moi-même en sachant que j'ai fait de mon mieux pour réaliser mes rêves, sans les abandonner. La réussite n'est pas une cible de six mois, d'un an ni même de cinq ans. Il s'agit d'un processus continu. La réussite survient en temps et lieu *lorsque vous êtes prêt à la recevoir.* La préparation est plus qu'un état d'esprit, c'est une façon de vivre. Alors, comment faire pour vous y préparer ?

Voici une simple formule conçue pour vous aider à réussir dans TOUS les domaines de votre vie:

Gratitude + Buts + Foi + Action continue = Résultats

Étape 1 : Ayez de la gratitude pour ce que vous avez et ce que vous *allez* recevoir.

Étape 2 : Fixez-vous un but précis. Engagez-vous envers ce but et soyez déterminé à l'atteindre.

Étape 3 : Ayez la foi que vous atteindrez votre but. *Ressentez* que vous êtes en train de l'atteindre.

Étape 4 : Faites ce qui doit être fait. Saisissez les opportunités. N'hésitez pas à passer à l'action quand elles se présentent.

Étape 5 : Soyez motivé. Continuez à avancer même lorsque les choses ne semblent pas aussi faciles.

Le monde n'attend pas les personnes hésitantes. Ce qui distingue les personnes qui réussissent des autres, c'est qu'elles ne font pas seulement parler, mais elles *agissent*.

Ce que vous faites aujourd'hui a une incidence sur votre vie future

En général, il y a deux courants d'idées sur la façon de mieux réaliser des objectifs. Il y a la méthode ascendante et la méthode descendante. Je crois aux deux. Laissez-moi vous expliquer pourquoi.

Dans son ouvrage à succès *Les sept habitudes de ceux qui réalisent tout ce qu'ils entreprennent,* Stephen R. Covey explique la deuxième habitude en nous proposant de commencer avec la fin en tête. Cette habitude est basée sur l'idée que toute chose est créée deux fois; premièrement, en tant que création mentale et, deuxièmement, en tant que création physique.

Commencez par le début qui est de créer votre *vision*. Cette vision est l'image d'ensemble de votre vie telle que vous rêvez qu'elle soit. Votre but dans la vie c'est : ce que vous désirez *être, faire* et ce que vous voulez *posséder*. Votre vision est la base de *tous* vos objectifs et de *toutes* vos actions. C'est votre motivation – *ce vers quoi vous tendez* chaque jour de votre vie lorsque vous travaillez. Cela se résume à ce que j'appelle un énoncé de vision (nous nous y attarderons plus en détail un peu plus loin).

Ensuite, vous voudrez vous fixer des *objectifs à long terme*. Ce sont les objectifs que vous allez atteindre d'ici un an, cinq ans, dix ans et même vingt ans. Ce sont des projets comme une maison au bord de la mer, une entreprise florissante, un compte de banque en Suisse, une famille heureuse et une histoire d'amour durable, *qu'importe!* Lorsqu'ils sont regroupés, vos objectifs à long terme constituent les étapes nécessaires à la réalisation de votre vision.

Vos objectifs à long terme sont vos plus grandes aspirations individuelles, celles que vous voudriez voir se réaliser à l'avenir. Si ce que vous désirez c'est de vivre pleinement votre vie MAINTENANT, alors vous devez absolument avoir des *objectifs à court terme*. Ce sont vos objectifs de la semaine prochaine, du mois prochain, de l'année prochaine ou ceux qui ont trait à votre grand projet. Terminer un livre, courir un marathon, perdre dix kilos sont toutes des choses qui vont améliorer votre perspective de la vie, votre santé, votre style de vie et votre confiance MAINTENANT. Ce sont aussi les actions que vous devez entreprendre aujourd'hui pour vous rapprocher demain de vos rêves (de votre vision).

Aucun objectif à court ou à long terme ne peut être atteint sans *objectifs quotidiens*. Ce sont les engagements pris sur une base quotidienne, et que vous devez maintenir, si vous planifiez réaliser tous vos objectifs à court terme. Ce sont les actions qui vous construisent, qui vous rendent plus sage et plus fort et qui créent une progression constante vers l'atteinte de tous vos autres objectifs.

Enfin, ce qui est probablement le plus important, ce sont les *actions requises*. Elles représentent un plan d'action, la « façon » de réaliser vos objectifs quotidiens. Les actions requises sont les actions de minute en minute et d'heure en heure que vous devez accomplir durant la journée afin d'atteindre vos objectifs quotidiens. Les actions requises vont vous faire passer à l'action, vous mettre sur la voie et vous permettre de rester concentré sur la tâche à accomplir. Même le plus petit *progrès réel* est infiniment mieux que de fausses promesses et des fantaisies. Les actions requises vous aident à atteindre *tous* vos objectifs quotidiens.

Peu importe ce que vous désirez, vous pouvez y arriver en vous fixant des objectifs réalisables. Voyez vos objectifs comme faisant partie d'un jeu de construction, et bloc par bloc, vous les placez un par-dessus l'autre, vous construisez et construisez jusqu'à ce qu'un jour, vous ayez construit une tour immense. Votre vision est la motivation qui soutient votre désir de réussir, mais le processus qui vous y amène est alimenté par de plus petites choses. Lorsque vous vous fixez des buts, vous devez regarder vers le plus grand de vos buts pour élaborer une image mentale claire de ce que vous désirez voir se produire dans votre avenir. Par contre, toute réalisation commence au départ par des actions qui vous donnent un élan progressif et qui vous amènent là où vous voulez aller.

« Prenez grand soin de vos pensées, car elles deviennent vos paroles;
prenez grand soin de vos paroles, car elles deviennent vos actions;
prenez grand soin de vos actions, car elles deviennent vos habitudes;
prenez grand soin de vos habitudes, car elles forment votre caractère;
prenez grand soin de votre caractère, car il influence votre destinée. »

DALAÏ LAMA

Vous pouvez accomplir presque tout ce que vous désirez, en franchissant une étape à la fois. Vous serez agréablement étonné de constater à quel point ces étapes s'accumulent en faveur de l'atteinte de votre but. En éliminant la pression reliée au facteur temps, vous arriverez à faire les choses plus rapidement. En un rien de temps, le semestre scolaire sera terminé, le premier brouillon de votre livre sera achevé ou votre plan d'affaires sera complété.

À mesure que vous avancerez dans le programme qui vous est présenté ici, vous comprendrez que vous devez être fier de chacune de vos réussites. Alors, vous aurez davantage confiance en vous, vous serez inspiré et motivé, et vous en ressentirez les effets dans votre quotidien. Vous récolterez toute la réussite que fournit la fixation de buts sans vous être mis de pression ou avoir eu l'impression de ne pas savoir comment vous y prendre pour réaliser vos objectifs.

Si vous désirez vous donner des objectifs qui ne sont pas seulement stimulants, mais surtout réalistes, il faut assurer que l'habitude de vous fixer des buts soit Spécifique, Mesurable, Atteignable, Réaliste et ciblée dans le Temps. (L'acronyme SMART a servi de référence à presque tous ceux qui ont réussi grâce à la fixation d'objectifs ou qui l'ont enseignée, tels Stephen Covey, Brian Tracy, Paul J. Meyer et Zig Ziglar.)

Les objectifs devraient être spécifiques et mesurables

Écrivez exactement ce que vous désirez accomplir, combien vous en voulez, comment vous allez y arriver et à quel moment vous allez le réaliser. L'imprécision ne vous mènera nulle part. Plus vous serez précis lorsque vous les écrirez, plus vous aurez de chance de les réaliser. La vie change et vos objectifs devraient changer eux aussi. Soyez flexible et indulgent envers vous-même. Faites les changements et les ajustements requis et vous allez trouver que la fixation de buts est plus faisable et agréable.

Les objectifs devraient être réalisables et réalistes

Lorsque vous dites : « Je vais obtenir mon doctorat d'ici la fin de l'année », il ne s'agit ni d'un objectif réalisable ou réaliste, surtout si vous n'avez pas de diplôme universitaire. Écrivez un objectif que vous pouvez vraiment atteindre. Ne vous placez pas dès le départ dans une position d'échec en vous fixant un objectif impossible à atteindre dans un délai raisonnable. N'oubliez pas que les objectifs sont comme un jeu de construction. Commencez par de petites choses et continuez à construire en ajoutant des objectifs de plus en plus importants jusqu'au jour où vous allez réaliser votre vision. Harmonisez votre ambition et le côté pratique des choses. Vous devrez faire des ajustements de temps à autre.

Les objectifs devraient avoir une flexibilité face à leur échéance

Fixez-vous une date ciblée pour l'atteinte de votre objectif. Si vous n'atteignez pas cette cible, ne soyez pas trop dur envers vous-même. La vie est ainsi faite. Vos objectifs devraient s'adapter à votre vie, et non le contraire. Si vous manquez vraiment votre coup, créez simplement un nouvel objectif et continuez à avancer sans plus tarder.

Créez l'habitude de vous fixer des objectifs et maintenez-la en les écrivant au même moment chaque jour

Une habitude est particulièrement importante lorsque vient le temps de réussir à long terme. À quoi bon seulement vous fixer un seul objectif et remporter une seule victoire ? La réussite n'est pas constituée d'une seule victoire, mais d'une suite de victoires accumulées les unes après les autres. Une fois que vous avez eu une victoire, il est tout naturel d'en vouloir d'autres! Par contre, la fixation de buts, tout comme n'importe quelle bonne habitude, peut rapidement être oubliée si elle ne fait pas partie de votre routine quotidienne. Planifiez de faire en sorte que la fixation de buts fasse partie de votre routine journalière afin de non seulement vous assurer d'un succès continu, mais surtout grandissant.

Le moment choisi pour écrire vos objectifs n'a pas vraiment d'importance, tant et aussi longtemps que vous essayez de les écrire au même moment chaque jour. Faites-le au moment qui vous convient le mieux. Dans mon cas, je préfère les écrire le matin parce que je plonge directement dans mon plan d'action. Si vous préférez les écrire le soir avant d'aller vous coucher, c'est très bien aussi. Assurez-vous seulement de les revoir à nouveau le lendemain matin. De cette façon, vous saurez à quoi ressemblera le reste de votre journée et vous vous souviendrez des choses que vous devez faire. Peu importe le moment choisi, le fait de vous fixer des buts régulièrement vous aidera à développer et à maintenir ensuite l'habitude de vous fixer des objectifs, et cela, pour de nombreuses années à venir.

Si vous désirez vous donner des objectifs qui ne sont pas seulement stimulants, mais surtout réalisables, *et* vous assurer que l'habitude de vous fixer des buts s'enregistre dans votre mémoire à long terme pour concrétiser votre réussite, alors assurez-vous que votre méthode de fixation de buts ne soit pas seulement *Stratégique, Mesurable, Atteignable, Réaliste et ciblée dans le Temps, mais qu'elle devienne également une habitude.*

Qu'est-ce qui vous motive ?

Les erreurs sont une bonne façon d'apprendre ce *qu'il ne faut pas faire,* mais bien souvent, vous pourriez économiser de l'argent et réduire le stress si vous pensiez honnêtement à vos buts avant de les attaquer de plein fouet. Donald Trump a pour son dire que : « Vous devez aimer ce que vous faites. Sans passion, le véritable succès n'est pas facile à conquérir. » (Casey et Mann, 2008, page 61) Soyez excessivement honnête avec vous-même. Sachez ce que vous voulez vraiment, et non pas ce que vous *devriez* vouloir ou ce que quelqu'un d'autre pense que vous devriez avoir.

Ce ne sont que les visions et les objectifs que vous prenez vraiment à cœur qui vont résister à l'usure du temps et à vos efforts. Vous aurez peut-être à faire un travail d'introspection, mais une fois que vous saurez ce que vous voulez vraiment, atteindre cet objectif n'en sera que plus palpitant.

Faites ce que vous aimez

Voici une idée : ce n'est pas parce que vous avez de multiples intérêts que vous devez tout faire en même temps. Les gens qui réussissent le plus sont ceux qui concentrent leurs énergies sur une chose à la fois. Ils maîtrisent une chose avant de passer à la suivante. À l'opposé, certaines des personnes les plus travaillantes qui, malgré tout, réussissent moins bien, font l'erreur de constamment jongler avec plusieurs projets en même temps. Ils montent plus de projets en une année que certains en une vie et, malgré tout, ils ne finissent vraiment jamais rien.

Voici une autre idée : ce n'est pas parce que vous êtes bon dans quelque chose que vous devez nécessairement gagner votre vie à le faire. Certaines personnes deviennent prisonnières de leurs propres capacités. Elles deviennent avocats ou comptables parce qu'elles ont du talent pour les choses qui requièrent de la logique ou elles ont la bosse des chiffres, (et, bien entendu, le salaire est également assez intéressant). Puis, ces gens passent leur vie à regretter de ne pas voir se réaliser ce qui leur tenait vraiment à cœur. Cela ne veut pas dire que vous ne pouvez pas aimer être avocat ou comptable. C'est tout à fait possible. Mais le fait d'aimer les résultats ne suffit pas.

Il a été prouvé que lorsque vous faites ce que vous aimez, vous êtes beaucoup plus heureux que si vous faisiez des millions de dollars en faisant quelque chose que vous n'aimez pas. Lorsque nous faisons ce que nous aimons, nous sommes stimulés, énergisés, concentrés et joyeux. Nous nous retrouvons dans « cette zone », dans cet endroit de notre tête où nous perdons toute notion du temps et nous faisons un avec l'action que nous accomplissons.

Il y a quelques années, j'ai décidé de commencer ma propre entreprise de linge de maison. J'ai travaillé dur et fort pour rassembler les meilleurs concepts, les meilleurs fabricants et avoir la meilleure stratégie marketing. Le jour est finalement arrivé où tout mon travail allait porter ses fruits. On m'a demandé de concevoir et de distribuer une ligne de linge de maison pour une boutique hôtel. Voilà ce qui compte : la grosse affaire, l'argent, la reconnaissance et le commerce. Mais plutôt que de plonger tête la première dans le projet comme la plupart des gens normaux l'auraient fait, j'ai choisi de prendre du recul et de réévaluer dans quoi j'étais en train de m'impliquer.

En effet, je travaillais très fort et j'avais emprunté beaucoup d'argent pour démarrer mon entreprise. Mais, pour passer à la prochaine étape, il fallait investir encore plus de temps et d'argent. Est-ce que ça en valait le coup ? Plusieurs personnes auraient sûrement répondu : « Bien entendu! ». Mais ce n'était pas aussi évident pour moi. Ce projet allait peut-être me rapporter énormément sur le plan financier, mais je ressentais un poids énorme dans mon cœur.

Vous voyez, je savais depuis plusieurs années que je voulais devenir auteure (en fait, je voulais créer et l'écriture était « le véhicule » avec lequel j'étais le plus à l'aise), mais en raison de la mauvaise réputation de la profession, je croyais qu'il était plus prudent et plus prestigieux de posséder une entreprise. J'ai plutôt écouté la logique, ce que mon cerveau me dictait. (La partie analytique de notre cerveau est un outil fantastique pour résoudre des problèmes précis. Par contre, il est un mauvais dirigeant lorsqu'il est question des choses de la vie. Pour bien gérer sa vie, il vaut mieux écouter son cœur.) À l'époque, il semblait malheureux de m'être rendue aussi loin au sein de mon entreprise pour finir par abandonner. Mais ce que j'en retiens c'est que c'était une leçon nécessaire à mon apprentissage qui m'a convaincue que je devais finalement m'engager dans ma passion. J'avais déjà perdu de nombreuses années en ignorant ce que mon cœur m'inspirait de faire.

« La réussite dans sa forme la plus parfaite et la plus importante
exige de la tranquillité d'esprit, du plaisir et du bonheur
qui se présentent uniquement à la personne
qui fait ce qu'elle aime le plus dans la vie. »

NAPOLÉON HILL

Il n'est jamais trop tard pour faire ce que vous avez toujours voulu faire. Dans son livre qui a marqué tant de vies, *Réfléchissez et devenez riche*, Napoléon Hill a écrit, qu'en général, les gens ne deviennent pas riches avant d'avoir atteint la quarantaine et que ceux qui réussissent plus jeunes devraient se considérer chanceux. Eh bien! J'ai trente-sept ans et pour certaines des choses que j'aimerais faire (ou que j'aurais aimé faire), je suis plutôt vieille. Mais de la façon que je vois les choses, j'ai au moins une bonne trentaine d'années devant moi, alors aussi bien faire les choses que j'aime. Plus j'aimerai ce que je fais, plus je gagnerai d'argent et moins j'aurai de stress. En bout de ligne, je vivrai plus longtemps pour en profiter.

Votre vision est-elle vraiment la vôtre ou êtes-vous en train de poursuivre le rêve de quelqu'un d'autre ? Il s'agit de *votre* aventure et non la mienne ou celle de votre mère, de votre mari, de votre patron, de votre femme… Parcourir le monde en yacht pourrait sembler une merveilleuse idée pour votre conjoint, même si ce n'est pas aussi attrayant pour vous; c'est le rêve de votre *conjoint* et non le vôtre. Toutefois, il n'y a rien de mal à partager un intérêt commun. Cela peut même être magique. Mais peu importe les efforts que vous déploierez, vous ne serez jamais heureux en agissant à l'encontre de votre propre vérité.

J'ai toujours dit que le meilleur investissement qu'une personne pouvait faire était d'investir en elle-même. Soyez très honnête avec vous-même lorsque vous développez votre vision, car il est important pour votre âme que vous utilisiez une partie du temps que vous passez sur la terre pour alimenter vos rêves. Que devez-vous être, faire et avoir avant de mourir pour vous sentir une personne à part entière ? Écoutez cette voix à l'intérieur de vous qui vous supplie de l'écouter : c'est votre vraie nature qui cherche à être reconnue. Écoutez cette voix et faites ce qu'elle vous dit. Elle ne vous induira jamais en erreur.

Réalisez vos rêves

Lorsque viendra le jour où vous devrez quitter cette terre, à quoi penserez-vous lorsque vous regarderez votre vie défiler devant vous ? Êtes-vous devenue la personne que vous vouliez être ? Avez-vous été heureux ? Quelle impression avez-vous laissée aux gens qui vous connaissaient ? Les avez-vous inspirés ou épuisés ? Étiez-vous un modèle qu'ils voulaient imiter ou éviter ? Que lèguerez-vous au monde et aux personnes proches de vous ? Serez-vous fier de vos décisions ? Serez-vous comblé par vos réalisations et vos réussites ? Aurez-vous des regrets ? Si oui, lesquels et comment pourriez-vous les éviter ?

C'est de votre vie dont il est question. C'est vous qui décidez de la manière dont vous voulez vivre votre vie. Vous pouvez continuer à vous fier aux autres pour vous sentir une personne à part entière et ensuite vous plaindre et les blâmer de ne pas avoir satisfait vos attentes. Ou vous pouvez commencer *aujourd'hui* à vivre la merveilleuse vie que Dieu vous a réservée en utilisant les talents et le courage qu'Il vous a donnés pour y arriver.

C'est de *votre* vie dont il est question, alors comment voulez-vous la vivre ?

Un énoncé de vision

Un énoncé de vision est une description puissante du rêve que vous chérissez autant dans votre esprit que dans votre cœur. Il résume toute votre joie de vivre dans tous les domaines de votre vie, y compris votre carrière, votre style de vie et vos relations. Il prend également en considération vos besoins sur le plan physique, mental, émotionnel et spirituel. Un énoncé de vision n'est pas quelque chose que vous créez pour obtenir l'assentiment des autres, mais pour vous poser sincèrement la question suivante : « Si je pouvais être qui que ce soit, faire ou avoir quoi que ce soit dans le monde, dans un certain nombre d'années, de quoi s'agirait-il ? »

Le 28 août 1963, Martin Luther King Jr. a prononcé son fameux discours qui commençait par la phrase : « J'ai un rêve ». Dans son allocution, le docteur King a présenté sa vision d'une Amérique libre de toute discrimination et de toute inégalité.

> *« Je vous le dis maintenant, mes amis, bien que nous ayons à faire face à des difficultés aujourd'hui et demain, je fais toujours ce rêve : c'est un rêve profondément ancré dans l'idéal américain.*
>
> *Je rêve qu'un jour notre pays se lève et vive pleinement la véritable réalité de son credo : «Nous tenons ces vérités comme des évidences que tous les hommes sont créés égaux.»* […]

Avec cette foi, nous serons capables de distinguer une pierre d'espérance dans la montagne du désespoir. Avec cette foi, nous serons capables de transformer les discordes criardes de notre nation en une superbe symphonie de fraternité. Avec cette foi, nous serons capables de travailler ensemble, de prier ensemble, de lutter ensemble, d'aller en prison ensemble, de défendre la cause de la liberté ensemble, en sachant qu'un jour, nous serons libres. [...]

Quand nous permettrons à la cloche de la liberté de sonner dans chaque village, dans chaque hameau, dans chaque ville et dans chaque État, nous pourrons fêter le jour où tous les enfants de Dieu, les Noirs et les Blancs, les Juifs et les non-Juifs, les Protestants et les Catholiques, pourront se donner la main et chanter les paroles du vieux Negro Spiritual : "Enfin libres, enfin libres, grâce en soit rendue au Dieu tout-puissant, nous sommes enfin libres!" »

Grâce à cette extraordinaire vision, le docteur King a inspiré une nation pour qu'elle agisse sur le plan de la déségrégation et il a été l'instigateur de la « Civil Rights Act » en 1964. En 1965, il recevait le prix Nobel de la paix. De nos jours, les Américains continuent à changer continuellement leur façon de penser et de mener leur vie grâce à la détermination du docteur King.

C'est à votre tour maintenant…

De quelle façon rédiger un énoncé de vision

Il n'y a pas qu'une seule façon d'écrire un énoncé de vision. Vous pouvez l'écrire en utilisant des phrases ou sous la forme d'une énumération. Vous pouvez utiliser un style poétique ou vous en tenir aux faits. Vous pouvez même le créer visuellement si vous trouvez que les images ont plus de force que les mots pour vous. En fait, puisqu'il s'agit d'un outil personnel, vous n'avez même pas besoin de l'écrire, vous pouvez faire un enregistrement sonore.

Un énoncé de vision peut être :

- ♥ une composition;

- ♥ un poème;

- ♥ un dessin;

- ♥ un album de découpures ou un tableau de vision;

- ♥ un enregistrement magnétique;

- ♥ une vidéo ou un film;

- ♥ ou n'importe quelle autre méthode avec laquelle vous vous sentez à l'aise.

Un énoncé de vision n'est pas sensé être quelque chose de sûr, mais plutôt d'honnête. Soyez fidèle à vous-même, à vos rêves et à vos désirs. N'oubliez pas que Dieu ne vous demande pas de vous limiter. Vous êtes plein de possibilités tout comme votre potentiel d'ailleurs. Vous devez savoir qu'il n'y a pas de rêve qui soit trop grand, de désir qui ne soit trop fort ou d'idée qui ne soit trop extrême. Le monde n'a pas été bâti par des peureux qui ne prenaient pas de risques, mais par des gens courageux et passionnés. Alors, soyez courageux, soyez passionnés!

Vous ne savez pas trop par où commencer ? Voici certains domaines de votre vie que vous aimeriez peut-être améliorer :

- ♥ vos talents / passe-temps / loisirs;

- ♥ vos finances;

- ♥ votre carrière;

- ♥ votre spiritualité;

- ♥ vos relations personnelles;

- ♥ votre vie sexuelle/vos amours;

- ♥ vos enfants;

- ♥ votre famille;

- ♥ votre condition physique;

♥ vos amis;

♥ votre santé / régime diététique;

♥ vos activités de relaxation / de plaisir;

♥ vos ambitions /votre entreprise;

♥ vos voyages;

♥ votre communauté;

♥ votre environnement;

ou autres.

Ne vous sentez pas restreint par les règles ou les échéances. Si vous voulez planifier votre mariage, vos dividendes d'un milliard de dollars, votre retraite ou même vos funérailles, c'est votre privilège. C'est *votre* vie que vous êtes en train de créer. Alors, faites-en ce que vous voulez et non ce que les autres croient qu'elle devrait être. Une fois que vous aurez commencé à penser concrètement à ce que vous voulez, vous ne pourrez pas vous empêcher d'être enthousiasmé. Les choses vont se présenter à vous petit à petit ou comme un raz de marée. Et, à ce moment-là, commencez à écrire (ou à parler, ou filmer, ou découper, ou coller, etc.).

Vous avez maintenant l'occasion d'écrire votre propre discours intitulé « *J'ai un rêve* ». Je vous ai laissé un espace ci-dessous pour que vous puissiez écrire votre propre énoncé de vision personnelle. Pour les personnes qui n'aiment pas écrire dans les livres, je vous invite à visiter mon site Web au www.LaGratitudeEtVosButs.com. Vous y trouverez un cahier d'exercices que vous pourrez télécharger gratuitement.

Lorsque vous élaborez votre énoncé de vision, faites-le avec joie, enthousiasme et passion. Si vous ne pouvez pas être passionné par votre propre vie, alors comment pouvez-vous être passionné par quoi que ce soit ? Si vous vous inquiétez parce que les gens vont lire votre vision, alors placez-la dans un endroit à l'abri des curieux. Mais, ne vous « censurez » pas parce que vous êtes gêné de ce que les autres peuvent en penser.

Mon énoncé de vision

Je vous suggère de l'écrire sur la première page de votre journal quotidien de gratitude

Il y a environ douze ans, je me suis créé un tableau avec les choses que je désirais voir se produire dans les années à venir. Mais à vrai dire, je ne me souviens même pas ce que j'y avais mis ou s'il y a quelque chose qui s'est vraiment réalisé. Pourquoi ? Parce que je ne m'étais pas fixé d'objectifs pour soutenir ma vision. Tout cela n'est devenu rien d'autre qu'un morceau de carton sur lequel se trouvait un paquet d'images. Une fois que vous avez créé votre vision, engagez-vous à prendre la direction des images que vous avez choisies en fixant des objectifs qui vont vous permettre d'atteindre ces buts.

Tous vos objectifs futurs devraient en quelque sorte vous amener à réaliser votre vision. Bien entendu, vous devrez quand même vaquer à vos occupations quotidiennes et tout ce qu'il y a d'autre à faire. Vous aurez peut-être à faire un travail complètement différent et que vous détestez, mais qui, néanmoins, vous permet de payer vos factures. Peu importe ce que vous faites, ayez toujours une image mentale très claire de la vie « parfaite » dont vous rêvez. Prenez l'habitude de vous fixer continuellement de nouveaux objectifs *pertinents* qui vous permettront d'y arriver. En agissant ainsi, vous commencerez tout naturellement à ne plus vous laisser distraire et vous deviendrez plus productif. En adoptant un tel comportement, vous créez une base solide sur laquelle vous appuyer pour concrétiser votre réussite.

CHAPITRE 10

OBJECTIFS À LONG ET À COURT TERME
POUR PASSER DU POINT « A » AU POINT « B »

❧❧

« Si vous êtes très passionné par un projet, vous réussirez,
car votre désir de voir les résultats vous aidera à les réaliser. »
WILLIAM HAZLITT

❧❧

Votre degré de réussite est déterminé par la force de votre vision. Cependant, le rêve, la paresse et la pensée positive ont leurs limites. La prochaine étape du processus de fixation de buts consiste à décomposer votre vision en objectifs individuels à long terme pour vous concentrer sur votre vision et vous assurer qu'elle soit bien alimentée. En admettant que vous ayez un énoncé de vision solide, l'élaboration d'objectifs à long terme devrait s'avérer relativement facile.

Les objectifs à long terme sont les désirs individuels qui nourrissent votre vision; ce sont les choses que vous cherchez à obtenir dans un avenir plus lointain, comme par exemple, une résidence secondaire sur le bord d'un lac, des voitures super performantes de marques étrangères, une entreprise florissante, un corps en forme, un mariage heureux, de beaux enfants, une santé parfaite, de l'argent en banque, des voyages autour du monde et suffisamment de temps pour profiter de tout cela. Étant donné que vos objectifs à long terme ne sont rien d'autres que votre énoncé de vision décomposé et trié en conséquence, nous ne nous attarderons pas ici aux détails entourant la façon de les écrire. Ce livre se concentre principalement sur les objectifs d'aujourd'hui (des objectifs quotidiens, à court terme, et des actions requises pour y arriver) qui vont vous aider à atteindre vos objectifs à long terme, et par la suite, votre vision.

Je peux vous dire que mon expérience m'a démontré qu'il y a véritablement un risque de trop se concentrer sur l'avenir. Vos objectifs à long terme peuvent être une merveilleuse source d'inspiration, mais ils peuvent tout aussi bien vous distraire de ce que vous devez vraiment faire chaque jour. Lorsque j'ai commencé à écrire ce livre, je voyais la belle grosse maison dans laquelle j'habiterais et les voitures que j'achèterais avec tout l'argent que j'allais gagner. Malgré tout, j'étais encore sur le point d'abandonner un autre projet. Qu'est-ce que je ne faisais pas comme il faut ?

Je passais beaucoup trop de temps à rêvasser au résultat final. Je pensais à ma vie *une fois que j'aurais terminé* le livre. Je ne passais pas suffisamment de temps à planifier les prochaines étapes (le processus) pour terminer mon livre. Pour quelqu'un avec aussi peu d'expérience que moi, l'idée d'écrire un livre, et de le vendre par la suite, me paraissait une tâche colossale. Il était beaucoup plus facile de penser positivement au résultat final plutôt que de trouver une façon de vraiment y arriver. C'était avant que je ne comprenne comment me fixer des objectifs à court terme...

Les objectifs à court terme

Les gains à long terme ne sont rien d'autre que l'accumulation de réalisations à court terme. Les objectifs à long terme sont la motivation sous-jacente à votre désir de réussir. Par contre, le processus qui vous permet d'y arriver est vraiment constitué de petites choses comme les objectifs quotidiens, les objectifs à court terme et les actions requises pour y arriver. Même le progrès le plus petit est un élément essentiel de la réussite.

Les objectifs à long terme sont projetés si loin dans l'avenir qu'il est facile de remettre un projet à plus tard, d'en être frustré ou confus. Lorsque cela se produit, nous perdons souvent notre enthousiasme et nous abandonnons. Le fait de vous donner un objectif à court terme vous donnera quelque chose à faire maintenant. Cela vous donnera le coup d'envoi pour passer à l'action. Vous deviendrez plus confiant et poursuivrez votre lancée. Vous serez stimulé et vous ferez plus que juste rêvassez à ces objectifs à long terme, vous les *réaliserez*!

Une vie bien vécue comprend des réussites à court terme! Un objectif à court terme est quelque chose que vous voulez atteindre à un certain moment donné dans un avenir rapproché (dans quelques jours, semaines ou mois). L'objectif à court terme a le pouvoir de transformer tout rêveur en quelqu'un qui agit et qui concentre son temps, ses ressources et son attention sur ce qui doit être fait maintenant. Vos objectifs à court terme sont la raison pour laquelle vous vous levez le matin. Ils vous donnent une direction et vous aident à accroître votre sens de l'accomplissement et du progrès continu.

Une fois que vous en prenez l'habitude, le fait d'écrire vos objectifs à court terme devrait devenir l'une des périodes les plus motivantes de votre journée. C'est à ce moment-là que vous avez l'occasion de vous concentrer sur vos rêves et de trouver un plan pour les réaliser! Les objectifs à court terme sont aussi importants que les objectifs à long terme. Ils sont le plan d'action pour obtenir l'argent dont vous avez besoin pour acheter cette bague de fiançailles, cette belle maison ou cette nouvelle voiture. Ce sont les moyens que vous allez prendre pour être capable de porter la même taille de jeans que vous portiez lorsque vous étiez au secondaire. Ils sont la stratégie qui vous permettra d'obtenir ce A à l'examen de physique et le soutien dont vous avez besoin pour arrêter de fumer.

Lorsque vous écrivez vos objectifs à court terme :

Soyez très précis

Les objectifs à court terme devraient être précis et identifiés, comme par exemple : « Je veux perdre dix kilos d'ici le 1er juin » et non « je veux perdre du poids ».

Accordez-vous des délais fixes

Ne soyez pas stressé quand vous y pensez. Les échéances devraient être flexibles, à moins, bien sûr, qu'une échéance ne soit déjà rattachée à votre objectif.

Fixez-vous des objectifs réalisables à court terme

Vos objectifs sont sensés vous inspirer, vous guider, vous motiver, et non vous accabler. Cependant, restez toujours concentré sur votre vision et n'ayez pas peur de voir trop grand. Un rêve n'est jamais trop grand ou trop petit.

Donnez-leur priorité

Bien que certains objectifs à court terme soient projetés sur une période de temps comme, par exemple, de terminer ce mandat qui doit être remis à la fin de la semaine, assurez-vous de toujours avoir au moins un objectif à court terme qui représente vraiment votre énoncé de vision. Fixez-vous des objectifs à court terme avant même des objectifs quotidiens. La plupart du temps, vos objectifs quotidiens devraient représenter ce qui doit être fait pour atteindre vos objectifs à court terme.

Soyez reconnaissant « par anticipation »

Lorsque vous écrivez vos objectifs à court terme, soyez déjà enthousiasmé par le résultat en sachant que vous les créez en passant à l'action dès maintenant.

Recherchez la simplicité

N'essayez pas d'améliorer tous les domaines de votre vie en même temps. C'est comme tenter d'arrêter de fumer et de perdre dix kilos en même temps. Si vous vous fixez un objectif et qu'il vous paraît intimidant, réécrivez-le pour qu'il soit plus facile à atteindre. Nous avons tous notre propre rythme. Trouvez le vôtre et tout fonctionnera très bien pour vous.

Le premier objectif à court terme que je ne me suis fixé était directement relié à mon désir d'écrire *La gratitude et VOS buts*. La seule idée d'écrire un livre me paraissait très intimidante parce que je n'avais aucune expérience en tant qu'auteure. La seule façon pour moi d'y arriver était de décomposer mon objectif à long terme (de terminer mon livre) en objectifs à court terme plus petits et plus faciles à réaliser. J'ai commencé par me donner l'objectif à court terme d'écrire pendant sept heures en sept jours (environ une heure par jour pendant une semaine). Ensuite, j'ai fait la même chose la semaine suivante et la semaine d'après, etc.

Voici quelques-uns des objectifs à court terme de mon propre journal quotidien de gratitude.

Mes objectifs à court terme sont :

1) Écrire durant sept heures cette semaine.

2) Faire de la lecture rapide chaque jour pendant 21 jours consécutifs afin de créer l'habitude.

3) Avoir terminé le premier brouillon de mon livre le 1er décembre.

À chaque jour, lorsque je m'assoyais devant mon ordinateur, je regardais ma montre et j'écrivais l'heure. J'étais honnête pour ce qui est de mes efforts et je compilais le temps passé à véritablement écrire. Si je me levais pour aller me chercher un café ou répondre au téléphone, j'écrivais l'heure à laquelle j'arrêtais et je recommençais à écrire. Et lorsque j'avais terminé pour la journée, j'écrivais sur un calendrier le temps que j'y avais consacré. Certains jours, je faisais une heure et même plus, tandis que lorsque j'étais plus occupée, j'étais chanceuse si j'arrivais à peine à écrire pendant trente minutes. Si la semaine tirait à sa fin et que je n'avais pas consacré tout le temps prévu, je passais le plus de temps possible à me reprendre pour atteindre mon objectifs, et j'y arrivais toujours.

Un objectif à court terme est bien plus qu'une cible, un « peut-être », ou une chose qui se réalisera, un jour. Il s'agit d'un engagement envers vous-même, vos plans et votre vision. C'est un plan d'action concret qui demande que vous y apportiez votre attention continue et que vous l'alimentiez. Lorsque vous commencez, vos premiers objectifs à court terme devraient être petits et très réalisables. C'est une bonne façon de vous aider à créer la routine d'écrire et de réaliser vos objectifs à court terme, et cela, sans vous décourager. Le fait de vouloir trop en faire trop rapidement fera en sorte que vous allez vous sentir dépassé!

À chaque réussite, qu'elle soit petite ou grande, vous allez acquérir la force nécessaire pour atteindre des objectifs encore plus grands et plus importants. Votre confiance grandira tout comme votre foi en la puissance de la fixation de buts, en Dieu et en votre propre capacité à contrer les difficultés que vous pourriez rencontrer en cours de route. Au fur et à mesure, vous allez vous appuyer sur cette force en créant et en atteignant des objectifs encore plus importants jusqu'à ce que vous obteniez tout ce que vous avez toujours désiré.

Vous ne savez pas trop par quoi commencer ?

Voici des domaines de votre vie dans lesquels vous aimeriez peut-être vous fixer des objectifs (ou visitez le www.LaGratitudeEtVosButs.com pour télécharger un cahier d'exercices gratuit) :

Talents / passe-temps (loisirs) :

_____

_____

Finances :

_____

_____

Carrière :

_____

_____

Spiritualité :

_____

_____

Relations personnelles :

_____

_____

Relations sexuelles / amoureuses :

_____

_____

Enfants :

_____

_____

Famille :

_____

_____

Condition physique :

_____

_____

Amis :

_____

_____

Santé / régime diététique :

_____

_____

Plaisir / relaxation :

_____

_____

Ambitions / affaires :

_____

_____

Voyages :

_____

_____

Communauté :

_____

_____

Environnement :

_____

_____

Autres :

_____

_____

Les objectifs à court terme ne devraient pas vous faire peur. Ils sont conçus pour être palpitants. Ils ne sont pas conçus pour être difficiles, mais plutôt réalisables. N'ayez pas l'impression que vous devez vous attaquer à tous les objectifs qui se trouvent sur votre liste en même temps. Concentrez-vous plutôt sur ceux qui sont les plus importants pour vous en ce moment ou qui auront l'impact le plus significatif sur votre vie en général.

Même la personne la plus célèbre a déjà été débutante. Qu'ont tous ces gens en commun, qu'il s'agisse d'Oprah Winfrey, de Frank McCourt, de Quincy Jones, de Shania Twain, d'Andrew Carnegie, de Bill Clinton, de Larry Ellison, de Napoleon Hill et d'Helen Keller ? Ils ont tous débuté de façon modeste! Chaque petit effort mis de l'avant a contribué graduellement à leur réussite spectaculaire.

Lorsque vous écrirez quelques-uns de vos premiers objectifs à court terme, vous allez aussi devoir commencer de façon modeste si vous désirez obtenir une réussite spectaculaire. Les gens qui commencent rapidement perdent haleine en peu de temps, tandis que ceux qui prennent leur temps et tiennent une cadence régulière finissent par gagner la course.

Lorsque vous serez rendu à la section du livre qui porte sur le journal quotidien de gratitude, vous remarquerez que j'ai inclus deux espaces pour indiquer vos objectifs à court terme. Ne sentez pas que vous devez écrire seulement deux objectifs parce qu'il y a deux espaces à cette fin. La meilleure façon de réussir est de rechercher la simplicité. Commencez par un objectif en le soutenant par des objectifs quotidiens et les actions requises pour y arriver. Lorsque cet objectif est atteint, trouvez un autre objectif à court terme afin de réaliser un nouveau projet. Lorsque vous êtes à l'aise avec le processus, ajoutez un autre but, ce qui vous aidera à acquérir lentement de la force pour en atteindre de plus grands et de plus importants. Lorsque vous êtes prêt, vous pouvez tout aussi bien travailler sur trois, quatre, cinq objectifs à court terme ou plus, et cela, tant et aussi longtemps que vous arrivez à les gérer.

Établissez vos priorités

Dans vingt ans, que regretterez-vous le plus ? Ne pas avoir travaillé plus d'heures au bureau ? Ne pas avoir passé plus de temps à aller conduire tout le monde à leurs sorties et à leurs pratiques ? Ne pas avoir fait suffisamment de lessive ? Votre denrée la plus précieuse est votre temps. La vie est courte et le temps est précieux. Ni l'un ni l'autre ne devraient être gaspillés. Même lorsque vous êtes très occupé, le fait d'avoir un objectif à court terme vous aidera à vous fixer des objectifs quotidiens et à donner priorité à certaines choses dans votre horaire pour que vous ayez du temps pour réaliser ce qui est vraiment important : *vos* rêves et *vos* objectifs.

Voici quelque chose à garder en tête. Lorsque vous planifiez votre journée, s'il ne vous reste plus de temps pour vous, parcourez à nouveau votre liste de priorités. Essayez de travailler sur vos objectifs *en premier* et de mettre le reste des choses en deuxième. Il y a certains jours où vous ne pourrez peut-être pas répondre à tous les courriels et à tous les appels téléphoniques. Et devinez quoi ? Ce n'est pas la fin du monde! Ne laissez pas les petits détails vous empêcher de travailler sur les choses qui sont vraiment importantes. Bien sûr, il y aura de ces journées au cours desquelles vous n'aurez vraiment pas de temps. Et peu importe les efforts que vous mettrez à jongler avec votre horaire, certaines choses vont l'emporter sur vos objectifs. C'est la vie. Mais vous ne pouvez pas vous attendre à ce que les choses changent à moins que *vous* ne passiez à l'action pour les changer. Et cela veut dire que vous devez leur accorder un certain niveau de priorité.

Je lis beaucoup de livres autres que des romans parce que je crois qu'il est important de toujours continuer à apprendre. En fait, j'aime tellement les livres de développement personnel que j'ai fondé récemment un club de lecture, le *Personal Development Book Club of America.* Vous pouvez nous visiter au www.mpowerbooks.com. Lorsque vous apprenez, votre esprit s'ouvre, votre confiance en vous-même se renforcit et vous devenez une meilleure personne à bien des égards, souvent les plus inattendus. L'un des derniers livres que j'ai lu s'intitule *La semaine de 4 heures* qui a été écrit par Tim Ferriss. Dans son livre, Ferriss parle de la loi de Parkinson qui « prescrit qu'une tâche gagnera en importance (perçue) et en complexité selon le temps qui lui sera alloué pour la terminer ». Il continue en disant que « si vous n'avez pas trouvé les tâches essentielles à votre mission et que vous fixez des dates de début et de fin agressives pour les terminer, alors les choses qui n'ont pas d'importance prennent de l'importance. Même si vous savez ce qui doit être fait en premier, sans échéances qui vous permettent de vous y concentrer, les tâches mineures qui vous sont imposées (ou inventées, si vous êtes un entrepreneur) vont prendre de l'importance et prendre tout votre temps jusqu'à ce que d'autres petits détails viennent les remplacer et faire en sorte qu'à la fin de la journée, vous n'aurez rien accompli ».

Votre vie est bien plus que de passer votre temps à satisfaire les demandes des autres. Évidemment, le don de soi est une *partie* essentielle de la vie. Mais si vous continuez à définir les besoins des autres comme votre principale priorité, vous pouvez jeter un coup d'oeil sur votre vie et constater qu'elle n'est qu'un rêve inachevé. Bien sûr, toutes les personnes autour de vous auront bénéficié de votre dur labeur et de vos sacrifices, mais votre âme aura-t-elle l'impression d'avoir accompli quelque chose ?

꩜

« Pour réussir, il faut s'améliorer dans l'art de dire non,
et cela, sans se sentir coupable.
Vous ne pourrez jamais atteindre vos propres buts si vous dites
toujours oui aux projets des autres. Pour obtenir le style de vie dont
vous rêvez, vous devrez vous concentrer sur les choses qui vont vous
aider à obtenir le style de vie dont vous rêvez. »

JACK CANFIELD

꩜

Le travail, la lessive et les parties de soccer du benjamin de la famille sont toutes des tâches importantes, mais pas aussi importantes que VOS besoins. Est-ce que vous demanderiez à un ami d'annuler un important rendez-vous d'affaires pour aller prendre un café avec vous ? Bien sûr que non! Est-ce que vous demanderiez à vos enfants de manquer un jour d'école juste parce que vous voulez aller au centre commercial plutôt que d'aller les déposer à l'école ? Absolument pas! Alors, pourquoi est-ce que vos objectifs sont la première chose que vous mettez de côté lorsque quelque chose d'autre survient ? Le temps que vous consacrez à vos buts est tout aussi important qu'un rendez-vous d'affaires ou un projet de science. Si vous ne faites pas en sorte que ce soit ainsi, alors personne d'autre ne le fera à votre place. Ne laissez pas les besoins des autres venir interférer avec la réalisation de vos rêves. Votre bonheur et votre avenir dépendent du fait que vous devez donner priorité à vos objectifs personnels. Si vous ne le faites pas, qui le fera à votre place ?

Si vous les laissez faire, votre conjoint, vos enfants, votre patron, votre famille, les devoirs, les organisations caritatives, les factures à payer, les appels téléphoniques et les courriels trouveront toujours un moyen de s'imposer. Une fois que vous aurez fait place à la nécessité de prendre du temps pour vous et vos objectifs, alors les personnes autour de vous verront l'effet positif que votre décision a non seulement sur vous, mais sur eux aussi. Ils vont commencer à vous donner le temps et l'espace dont vous avez besoin. Une fois que vous aurez surpassé l'anxiété (ou la culpabilité) initiale d'essayer de faire quelque chose de nouveau, alors vous commencerez à voir ce « temps personnel » non pas comme un luxe, mais comme une exigence de base à votre survie.

Alors, toutes ces discussions au sujet d'une vision précise et d'objectifs à long et court terme nous ont menés où au juste ? À un endroit où chaque jour est un nouveau départ, un endroit où les erreurs sont corrigées et les rêves sont réalisés.

CHAPITRE 11

OBJECTIFS QUOTIDIENS ET ACTIONS REQUISES :
DE QUELLE FAÇON Y ARRIVER

❧❧

« Sans plan précis, un but n'est qu'un souhait. »
LARRY ELDER

❧❧

Faisons une brève récapitulation. Tout d'abord, nous avons parlé de l'idée d'avoir une *vision*. Il s'agit de votre rêve le plus fantastique. C'est la motivation qui vous pousse à être davantage, à en vouloir davantage et à avoir davantage. Nous avons ensuite traité des *objectifs à long terme*; ce qui constitue votre vision. Enfin, il a été question des *objectifs à court terme*; ce sont les objectifs hebdomadaires, mensuels et trimestriels qui vous permettent d'atteindre vos objectifs à long terme, et en bout de ligne, votre vision.

Nos objectifs à court terme définissent qui nous sommes et ils nous indiquent une direction et ce que nous désirons dans le présent. Nous parlons souvent de nos objectifs comme de quelque chose que nous aimerions faire « un jour », lorsque nous aurons le temps, l'argent ou les ressources nécessaires. Lorsque nous agissons de la sorte, nos objectifs ne deviennent rien d'autre que des rêvasseries floues qui se retrouvent dans le même placard que notre bel ensemble de vaisselle que nous espérons pouvoir utiliser un jour. Quand ce jour-là arrivera-t-il ? Eh bien, je suis ici pour vous en parler! Ce jour-là est AUJOURD'HUI MÊME. Les objectifs ne devraient pas être remis jusqu'à ce que ce soit le bon moment; vous POUVEZ et vous ALLEZ les réaliser aujourd'hui et chaque jour de votre vie en vous fixant des *objectifs quotidiens* et en accomplissant les *actions requises*.

Les objectifs quotidiens

> **« Nous ne pouvons atteindre nos buts qu'à l'aide du véhicule qu'est notre plan écrit en lequel nous devons croire avec ferveur et sur lequel nous devons agir avec vigueur.**
> **Il n'y a aucun autre chemin vers la réussite. »**
> STEPHEN A. BRENNAN

Votre journal quotidien de gratitude est l'une des meilleures façons pour vous aider à amorcer le processus et faire en sorte que vous soyez sur la voie d'atteindre VOS *objectifs chaque jour.*

La répétition est la clé de la réussite de toute nouvelle habitude que vous essayez de créer. Cela s'avère particulièrement vrai lorsque vient le temps de créer l'habitude de la fixation de buts. La plupart des experts de la fixation de buts vous diront qu'une fois que vous vous êtes donné des objectifs, il est préférable de les *revoir* (les relire et les réévaluer) chaque jour, chaque semaine ou chaque mois. J'ai toujours trouvé qu'au lieu de me rapprocher de mes objectifs, le fait de simplement les revoir arrivait à créer une distance entre moi et mes objectifs. Je ne me sentais pas suffisamment impliquée dans le *processus* du début à la fin.

Le fait de simplement relire et réévaluer vos buts n'est pas suffisant. Pour rester entièrement impliqué dans le processus, il est préférable d'écrire de *nouveaux buts* aussi souvent que possible. Écrire vos buts ne prend que quelques minutes, malgré tout, il s'agit d'une étape qui peut faire toute la différence entre réussir ou échouer. Avoir un but écrit vous encourage à donner priorité à vos efforts et à vous concentrer. Ainsi, vous serez encore plus attaché et engagé envers ceux-ci, ce qui augmentera de manière significative la probabilité de leur réalisation.

Un but quotidien est une cible que vous cherchez à atteindre le même jour (ou le jour suivant) après l'avoir créé. **Cependant, les buts quotidiens sont bien plus que des tâches sur une liste de choses à faire...**

Les buts quotidiens sont vos stratégies quotidiennes de réussite

Peu importe ce que vous voulez améliorer ou atteindre, vous fixer un ou deux buts chaque jour et vous concentrer sur eux avec ferveur vous aideront à obtenir ce que vous désirez beaucoup plus rapidement et avec une plus grande conviction que si vous vous y adonniez lorsque vous en avez tout à coup envie. Même le fait de dédier seulement quinze minutes à un but est encore préférable à passer une heure à rêvasser à son sujet.

Vous fixer des buts au quotidien est l'une des actions les plus importantes que vous puissiez faire pour réussir

Contrairement aux autres méthodes de fixation de buts exigeant que vous n'écriviez de nouveaux buts qu'à toutes les quelques semaines ou mois, votre journal quotidien de gratitude fait en sorte que vous les ayez constamment en tête puisque vous devez les écrire tous les jours. Le fait de constamment les écrire et les réévaluer est la meilleure façon de les graver dans votre mémoire. Puisqu'il s'agit de quelque chose que vous faites tous les jours, cela vous permet de constamment les travailler et retravailler jusqu'à ce que vous les ayez atteints. Ainsi, la fixation de buts devient une habitude. La réalisation devient un accomplissement. Puisqu'il s'agit de quelque chose que vous faites à chaque jour, alors chaque jour vous avez un rappel des choses que vous devez faire pour obtenir ce que vous désirez le plus au monde. Vous restez en mode de réalisation à chaque jour, et cela, jusqu'à ce que vos buts soient accomplis.

Les buts quotidiens sont la meilleure façon d'augmenter votre productivité en général

En vous fixant des buts réalisables et en vous y tenant, vous arriverez à en faire beaucoup plus que vous ne pourriez l'imaginer. Un but quotidien est bien plus que de dire que vous allez faire quelque chose; c'est un engagement écrit indiquant que vous allez vraiment faire cette chose-là. Si vous vous en tenez à votre engagement, vous allez vous débarrasser de la procrastination et de la paresse dans votre vie. Fixez-vous un ou deux buts chaque jour et RÉALISEZ-LES. Vous allez voir votre stress diminuer et votre productivité monter en flèche!

Les buts quotidiens vous rendent responsable envers vous-même

Vous et vous seul êtes responsable de votre vie et de la façon que vous choisissez de la vivre. Si vous n'êtes pas heureux, SOYEZ le changement que vous recherchez plutôt que de vous tourner vers les autres pour qu'ils changent les choses à votre place. Lorsque vous vous fixez des buts quotidiens et que vous les atteignez, vous êtes responsable de votre vie, mais surtout, vous prenez le contrôle de votre *destinée*.

Les buts quotidiens vous empêchent d'être dépassé

Peu à peu, la *façon* d'atteindre des buts plus importants vous apparaîtra. Et lorsque cela arrivera, les nouvelles compétences que vous aurez acquises en vous basant sur votre expérience, vous permettront de les atteindre facilement en ayant confiance en vous-même.

Les buts quotidiens vous permettent de rester concentré sur des objectifs plus importants

Un but à court terme est la direction dans laquelle vous vous engagez. Les buts quotidiens sont les actions requises pour y arriver. Ils vous permettent de concrétiser activement vos buts. À chaque fois que vous réalisez vos objectifs quotidiens, vous vous rapprochez de leur réalisation à court, et éventuellement, à long terme.

Les buts quotidiens et les listes de choses à faire

La vie peut parfois être mouvementée. Il arrive parfois que les tâches les plus simples comme, par exemple, préparer le souper ou prendre une douche, viennent surcharger un horaire. Une simple liste de choses à faire peut vous aider à gérer votre temps et vous servir d'aide-mémoire de toutes les choses pratiques que vous désirez et devez faire. Toutefois, cette liste ne vous aidera aucunement à réaliser votre vision.

La fixation de buts quotidiens n'est pas sensée remplacer une liste de choses à faire et vice versa. En fait, les deux ne devraient jamais être méprises l'un pour l'autre. Une liste de choses à faire n'est rien de plus qu'un aide-mémoire de toutes les courses et responsabilités ayant besoin de votre attention. Votre liste de buts quotidiens est votre « machine à rêves » et vous devriez la considérer comme étant encore plus importante.

D'une part, si votre liste de choses à faire quotidiennement ressemble un tant soi peu à la mienne, vous avez probablement une dizaine de choses qui *devraient* être faites ce jour-là. Avec toutes ces tâches à accomplir, comment pouvez-vous arriver à donner priorité à toutes ces choses ? La fixation de buts vous permet de donner priorité à une ou deux choses que vous êtes *déterminé* à atteindre chaque jour. Vos buts ne devraient jamais se retrouver avec la lessive ou une course au bureau de poste. Gardez toujours vos buts séparés des tâches ordinaires pour vous assurer de ne pas les perdre de vue dans le brouhaha d'une journée.

D'autre part, vos tâches quotidiennes peuvent et devraient devenir des buts quotidiens, si nécessaire. Permettez-moi de m'expliquer : je suis le genre de fille qui bouge beaucoup et qui préfère se retrouver dehors au grand air avec ses enfants qu'à l'intérieur en train de cuisiner et nettoyer. Je sais qu'il y a beaucoup de gens qui aiment faire des tâches ménagères. Cependant, pour moi, ces tâches m'ont toujours paru comme du temps perdu *nécessaire*! Mais cela ne veut pas dire que je ne suis pas consciente des avantages d'une maison propre ou de repas maison nutritifs. Cela veut seulement dire qu'à certains moments j'ai besoin d'un effort conscient pour faire ces tâches. Cela peut vouloir dire d'avoir à me fixer un objectif quotidien pour m'aider à les faire.

Si faire la lessive ou préparer le souper doit se trouver en tête de vos priorités ce jour-là, alors faites-en l'un de vos objectifs du jour. De cette façon, vous serez certain que ce sera fait et vous en tirerez les avantages une fois que ce sera terminé. Cela semble peut-être contredire ce que je viens tout juste de dire concernant les tâches et les buts étant deux choses différentes, mais la réussite se présente de différentes façons.

La plupart du temps, mes buts quotidiens sont écrits pour venir compléter mes objectifs à court terme. Par exemple, écrire pendant une heure afin que je puisse finir d'écrire mon livre ou boire cinq verres d'eau pour que je puisse perdre ces kilos supplémentaires. Mais tout comme je l'ai déjà mentionné, il m'arrive parfois d'utiliser l'un de mes objectifs quotidiens pour accomplir une tâche si : a) cette tâche doit absolument être réalisée *aujourd'hui*, b) cette tâche améliorera ma qualité de vie ou celle de ma famille, c) cette tâche me sera utile sur le plan de ma croissance personnelle, ou d) j'aurai cette tâche en tête si je ne la remplis pas. Préparer un repas nutritif à temps pour ma famille est une chose sur laquelle je dois vraiment travailler. C'est bien plus qu'un repas; c'est un engagement envers la santé de mes enfants. Je me sens mieux si je sais ce qu'ils mangent et je me sens mal si c'est la troisième fois cette semaine que nous mangeons des mets préparés ou à emporter.

Lorsque je transforme une tâche en but, je l'aborde comme un objectif. Je lui donne la priorité absolue et une fois que cette tâche est remplie, je sens la même satisfaction et le même sens de l'accomplissement que lorsque j'ai atteint mes autres buts « plus importants ».

La réussite engendre la réussite

❧❧

« Si vous êtes prêt à mourir sans avoir réalisé ce projet,
alors vous pouvez le remettre au lendemain. »
PABLO PICASSO

❧❧

La fixation et la réalisation de buts ne sont pas des compétences innées. Nous les apprenons au fil de nos expériences, par essais et erreurs, et avec énormément de persévérance. Une fois que vous vous serez entraîné à être centré sur vos buts, vous serez programmé à être centré sur la réussite. La réussite engendre la réussite. Peu importe ce que vous réalisez, la réussite que vous obtenez dans n'importe quel domaine de votre vie vous inspirera à réussir aussi dans les autres domaines.

Chaque fois que vous écrivez dans votre journal quotidien de gratitude, vous gardez vos rêves vivants. Commencez par vous fixer un objectif quotidien et voyez ensuite comment vous vous sentirez lorsque vous l'aurez atteint. Je vous parie que vous allez vous sentir assez bien parce que vous vous en êtes tenu à l'engagement que vous aviez pris avec vous-même et vous voudrez essayer à nouveau. Une fois que vous aurez maîtrisé l'atteinte d'un ou deux objectifs quotidiens, vous aurez davantage confiance en vous et vous serez beaucoup plus habilité à poursuivre vos objectifs plus importants à court et à long terme. Vous serez bientôt capable de vous fixer et d'atteindre plusieurs nouveaux buts sur une base quotidienne.

Il est plus facile de dire que quelque chose est une priorité que de véritablement décider qu'elle en soit une, surtout lorsqu'il y a tellement d'autres demandes qui requièrent votre attention. Le fait de prendre le temps chaque matin d'écrire vos objectifs ne vous servira pas seulement d'aide-mémoire d'une promesse que vous vous êtes faite, mais cela vous aidera à rester engagé à faire en sorte que cela se réalise tous les jours. Sans le rappel constant que fournissent les buts quotidiens, il se peut que vous vous retrouviez, tout comme moi, à pratiquer des activités qui vous font perdre du temps comme de vérifier vos courriels, lire les journaux ou faire des tâches ménagères; et de ne jamais arriver à rien terminer de « concret ». Lorsque vous écrirez vos buts quotidiens et que vous vous engagerez envers eux, alors vous ferez ce qu'il faut faire; et vous serez récompensé par la certitude de savoir que VOUS avez le contrôle de votre vie. VOUS décidez de la direction qu'elle prend. VOUS décidez de réussir!

Les actions requises

❧

« Si vous réalisez qu'un but ne peut pas être atteint,
n'ajustez pas le but,
mais les actions requises pour l'atteindre. »
CONFUCIUS

❧

C'est ici que les gagnants sont départagés des perdants et que les gens qui réussissent se démarquent. C'est également à ce tournant que les gens *n'arrivent pas* à atteindre leurs buts. Peu importe qui vous êtes ou votre situation; que vous soyez une mère au foyer, un vice-président d'une grande société, un étudiant, un athlète de haut niveau, un propriétaire d'entreprise, si vous venez tout juste de perdre votre emploi, vous êtes en faillite sur le plan financier ou spirituel, vous êtes seul ou déprimé… **vous allez réussir à nouveau lorsque vous allez suivre les principes décrits dans ce livre.** Vous deviendrez reconnaissant, vous vous fixerez des objectifs et vous vous concentrerez sur ces objectifs; *une action à la fois.* C'est aussi simple que cela.

Vous cherchez-vous un emploi ? Voulez-vous écrire un livre ? Cherchez-vous l'âme sœur ? Êtes-vous en train d'étudier pour un examen ? Voulez-vous courir le marathon ? Avez-vous une déclaration de revenus à produire ? Voulez-vous perdre du poids ? Avez-vous un mariage à organiser ? Avez-vous une placard à nettoyer ? Voulez-vous démarrer une entreprise ? Avez-vous des objectifs à atteindre ? Avez-vous un rêve à réaliser ? Eh bien, vous avez *finalement* aujourd'hui l'occasion d'y arriver!

C'est parfait de voir grand, mais vous devez être disposé à commencer au bas de l'échelle. N'oubliez pas qu'il est impossible d'atteindre un objectif important sans tout d'abord réaliser de plus petits objectifs. Votre vision de l'avenir se réalise en atteignant des objectifs individuels à long terme. Chaque but à long terme peut être atteint en vous fixant plusieurs buts à court terme et en les atteignant. Et chaque but à court terme peut être atteint en vous fixant des buts quotidiens et en les atteignant. Mais comment arrive-t-on à atteindre des buts quotidiens ? Eh bien, même ceux-ci ont besoin d'un peu d'aide! Vous avez besoin d'un plan d'action!

Ce n'est pas suffisant de vous engager à écrire vos buts de la journée. Un but quotidien sans structure est trop vague, et avec tout se qui se produit, même avec les meilleures intentions du monde, vos ambitions peuvent facilement être mises de côté. Si vous voulez une garantie que vous accomplirez chacun d'eux avec succès, vous devez prendre l'habitude d'y travailler à chaque jour. Vous devez faire suivre chaque but quotidien par un plan d'action si vous voulez qu'il se réalise.

Un plan d'action est une suite prédéterminée *d'actions requises* pour que chaque but soit atteint. Un plan d'action minutieux permet *d'éviter* d'y aller à l'aveuglette lorsque vous travaillez à réaliser vos buts en vous disant *ce que vous devez faire*, *à quel moment* vous devez le faire, *combien* vous devez en faire, *pendant combien de temps*, *où* vous devez le faire et *avec qui* vous devez le faire.

TOUS les buts quotidiens peuvent être atteints en les décomposant en ce que j'appelle *des actions requises* pour les réaliser. En fait, aucun but quotidien, à court ou à long terme ne peut être réalisé sans ces actions. **Les actions requises sont de petites tâches ou des buts plus modestes qui doivent être atteints durant la journée afin de réaliser vos buts quotidiens :**

- ♥ **elles sont le moteur qui vous permet d'atteindre vos buts quotidiens;**
- ♥ **elles sont votre *plan d'action;***
- ♥ **elles sont votre engagement à savoir *où, quand et comment* vous planifiez atteindre l'objectif quotidien en question.**

Les actions requises vous simplifient la vie

Un bon plan d'action fera en sorte que vous ne vous sentirez plus complètement débordé. Ce plan vous permettra de concentrer votre énergie sur les choses qui doivent être faites *maintenant* pour réaliser vos objectifs *aujourd'hui*.

Certains buts quotidiens pourront nécessiter plusieurs actions requises pour y arriver, comme par exemple, de faire deux appels de sollicitation à froid chaque heure durant la journée au bureau, tandis que d'autres n'en demanderont qu'un, comme de commencer à préparer le souper à dix-sept heures pour que vous puissiez manger à dix-huit heures. De toute façon, décomposer vos buts quotidiens en actions requises vous facilitera la tâche et vous aidera à réussir beaucoup mieux que si vous agissiez de manière purement spontanée. L'organisation est la liberté, car lorsque vous savez exactement ce que vous avez à faire et comment vous devez le faire, vous êtes libre de passer le reste de la journée en étant confiant et en sachant que vous avez fait ce qu'il fallait pour atteindre vos buts.

Les actions requises donnent priorité à vos buts

La raison pour laquelle les gens n'arrivent pas à atteindre leurs buts quotidiens, c'est souvent parce qu'ils n'organisent pas leur journée. Ils commencent leur journée avec de bonnes intentions, et ensuite ils deviennent occupés et finalement ils remettent à plus tard *ou* ils oublient complètement leurs buts et les reportent au lendemain.

Donnez priorité à vos buts quotidiens en entreprenant des actions précises pour les réaliser. De cette façon, votre journée sera organisée en fonction de vos buts et des actions requises nécessaires pour les réaliser, ce qui vous empêchera de vous laisser envahir par toutes les autres tâches ou choses à faire sur votre liste. Une fois que vous aurez écrit les actions requises pour réaliser chacun de vos buts quotidiens, vous pourrez vaquer à vos occupations en fonction de ceux-ci. Si vous savez que vous devez être au centre de conditionnement physique à midi, alors vous n'irez pas planifier une réunion à cette heure-là.

Les actions requises sont la meilleure méthode pratique pour atteindre vos objectifs

Que vous vouliez démarrer une entreprise, obtenir une augmentation de salaire, trouver le partenaire idéal ou perdre du poids, vous devez avoir un plan d'action; c'est ce qui vous permettra d'y arriver. Contrairement à un but quotidien que vous écrivez et que vous mettez de côté, les actions requises pour réaliser votre but vous permettent de rester toujours impliqué sans être débordé ou distrait, et ce, tout au long du processus visant à atteindre votre but. Un bon plan d'action fera en sorte que vous serez toujours occupé à *faire* des choses et que toute tentative de paresse, de distraction ou de procrastination disparaîtra rapidement.

En vous dotant d'un plan d'action, vous pourrez relever le défi le plus redoutable et atteindre l'objectif le plus audacieux. Le fait de savoir que votre plan quinquennal vise à avoir une grande maison sur le bord du lac ne suffit pas. Le fait de savoir que vous désirez perdre trois kilos pour assister au mariage de votre cousin dans six semaines ne suffit pas. Le fait de savoir que vous voulez faire dix appels de sollicitation à froid chaque jour ne suffit pas pour y arriver. Vous devez décomposer chaque objectif en petites actions requises pour pouvoir y arriver. Tant et aussi longtemps que vous accomplirez *toutes* les étapes requises, vous serez assuré de réaliser tous vos buts.

Il y a quelques mois, j'ai commencé à prendre un peu de poids et ça me déprimait. Puis, l'un de mes amis m'a dit qu'il avait perdu du poids seulement en buvant plus d'eau. Cela m'a paru une idée formidable puisque l'eau est bonne pour la santé en dépit du fait qu'elle aide à perdre du poids. Alors, j'ai décidé que j'allais essayer de perdre du poids en buvant plus d'eau. Comme je n'aime pas boire de l'eau, je savais que la seule façon d'y arriver serait de me fixer un but quotidien.

Je me suis donc donné l'objectif quotidien de boire cinq grands verres d'eau par jour. Pour atteindre ma cible de cinq verres, je n'avais qu'à me concentrer sur les actions requises pour y arriver : boire un verre d'eau toutes les deux heures, soit à 9 heures, 11 heures, 13 heures, 15 heures et 17 heures. J'ai augmenté ma consommation d'eau de manière significative et j'étais sur la bonne voie de perdre du poids, tout en améliorant ma santé en général.

Comment écrire des buts quotidiens et les actions requises pour les réaliser

Écrire vos buts quotidiens et les actions requises pour les réaliser est l'une des actions les plus productives que vous puissiez faire chaque jour. Vos buts quotidiens vont vous guider durant la journée. Par contre, les actions requises pour réaliser vos buts vont vous permettre d'acquérir la force nécessaire pour que vous puissiez contrôler votre avenir à chaque minute de votre vie. La fixation de buts ne devrait pas être une corvée, mais plutôt une action stimulante. (Hé! vous avez maintenant l'occasion de créer la vie dont vous rêvez!) Une fois que vous en aurez l'habitude, tout le processus aboutira en moins de temps qu'il n'en faut pour préparer le petit déjeuner. Vous pourrez même le faire *pendant* que vous prenez votre petit-déjeuner!

Voici les étapes que je vous suggère de suivre lorsque vous écrivez vos buts quotidiens et les actions requises pour les réaliser dans votre journal de gratitude :

♥ Fixez-vous des buts quotidiens individuels. Il est préférable de les fixer au même moment tous les jours afin d'enraciner l'habitude de vous fixer des buts dans votre cerveau.

♥ Soyez précis et clair lorsque vous vous fixez des buts quotidiens et les actions requises pour les réaliser. Assurez-vous que chacun soit faisable et réalisable à chaque étape de son accomplissement. Si, pour une raison ou une autre, vous vous sentez stressé après les avoir écrits, réévaluez-les et révisez-les.

♥ Voyez vos objectifs quotidiens comme les éléments de base de vos buts à court et à long terme. Autrement dit, vos objectifs quotidiens devraient être suffisamment importants pour vous permettre de progresser vers leur accomplissement. Par exemple, si votre but à court terme est de perdre quelques kilos, alors l'un de vos objectifs quotidiens pourrait être de vous rendre au centre de conditionnement physique immédiatement après le travail pour y faire une heure d'exercice. Les actions requises pour réaliser votre but pourraient être de faire trente minutes de simulateur d'escalier et trente minutes de travail sur la partie inférieure de votre corps avec des poids et haltères.

♥ Écrivez un but quotidien à la fois en vous assurant d'inclure les actions requises pour le réaliser avant de passer au suivant.

Comme toutes les autres étapes du processus de fixation de buts, les actions requises pour les réaliser doivent être planifiées à l'avance. Vous ne devriez pas tenter de savoir de quoi il en retourne au fur et à mesure que vous progressez. Après vous être donné des buts dans votre journal quotidien de gratitude, déterminez immédiatement un plan d'action pour les atteindre. Autrement dit, vous devez indiquer les *actions* que vous allez entreprendre, suivies des *moyens* que vous allez prendre pour y arriver.

Voici quelques-uns de mes objectifs quotidiens et des actions requises pour les réaliser :

Mes objectifs quotidiens sont :

1) Boire cinq grands verres d'eau.

Action requise : boire un grand verre d'eau à 9 heures, 11 heures, 13 heures, 15 heures et 17 heures.

2) Écrire pendant une heure et demie.

Action requise : écrire pendant que le bébé fait sa sieste.

3) Préparer des spaghettis pour le souper.

Action requise : commencer à cuisiner à 16 heures pour que ce soit prêt à 17 heures.

4) Faire de l'exercice pendant une heure.

Action requise : aller au centre de conditionnement physique de 15 h 30 à 16 h 30.

5) Lire pendant trente minutes.

Action requise : lire avant d'aller me coucher.

Les actions requises vous permettent d'avoir par écrit un ensemble d'actions précises afin de savoir de quelle façon vous allez vous y prendre pour atteindre vos buts quotidiens. Lorsque la peur, le doute ou même la paresse s'installent, repoussez-les en vous concentrant sur le plan d'action que vous avez rédigé dans votre journal quotidien de gratitude. Sans hésiter, entreprenez immédiatement la prochaine action requise se trouvant sur votre liste. Il ne vous reste plus qu'à les faire... Et voilà, vous avez réussi!

Concentrez-vous sur les actions requises par vos plus petits buts pour le moment. Évidemment, vous pouvez rêver de la richesse dont vous allez jouir grâce à vos buts à plus long terme; ces buts sont peut-être l'inspiration dont vous avez besoin pour continuer. Par contre, gardez toujours un équilibre entre le rêve et les actions requises, ici et maintenant. De petites cibles sont l'équivalent de petites victoires. Aussi subtiles qu'elles puissent être, les petites victoires s'accumulent et elles vous rapprochent de ce que vous désirez atteindre en atténuant tout le stress relié aux buts à long terme.

❦❦

« L'arrivée à destination est le point de départ
d'une autre destination. »

JOHN DEWEY

❦❦

Toute action qui pourrait vous paraître comme un progrès insignifiant finira par s'accumuler et devenir une réalisation encore plus importante dans le temps de le dire. Saviez-vous que vous pouvez lire un livre de 300 pages en cinq mois en ne lisant que deux pages par jour ? (Vous pouvez aussi *écrire* un livre de 300 pages en *écrivant* deux pages par jour. Dans six mois, vous pourriez tenir dans vos mains un succès de librairie!)

Tout ce que vous pouvez imaginer peut être réalisé en autant que vous le décomposiez en petits objectifs réalisables.

La méthode de fixation de buts décrite dans ce livre s'applique pratiquement à tout. Vous pouvez perdre du poids et améliorer votre santé simplement en augmentant votre consommation d'eau, de fruits et de légumes chaque jour. Vous pouvez arrêter de fumer (ou au moins diminuer de manière significative) en prenant une cigarette de moins par jour pendant trente jours consécutifs. Vous pouvez rencontrer douze partenaires de vie potentiels en parlant à seulement trois nouvelles personnes chaque semaine pendant un mois. Vous pouvez mettre mille dollars de côté en économisant trois dollars par jour pendant un an. Et la personne la moins en forme peut s'entraîner pour courir le marathon, un tour de piste à la fois.

Le seul fait de nettoyer votre placard peut s'avérer être une merveilleuse leçon de confiance en soi si vous vous prêtez au jeu. Plutôt que d'essayer de tout faire en une journée, faites-en une affaire d'une à deux semaines. Faites les chandails une journée, les souliers la suivante, puis les sacs à main la journée d'ensuite, etc. Vous pouvez aussi décomposer la tâche en sessions quotidiennes de trente minutes jusqu'à ce que tout ait été nettoyé. En une semaine, vous aurez mis trois heures et demie à cette tâche! Après chaque étape réussie (la réussite peut même se trouver dans le fait de nettoyer une penderie!), vous commencerez à vous sentir moins dépassé par la tâche et plus confiant en vos capacités à atteindre vos buts.

Avec deux jeunes enfants à la maison, le sous-sol peut rapidement ressembler à un champ de bataille. Lorsque je demande à mes fils de le nettoyer, comme tous les autres enfants, ils sont loin d'être emballés par la tâche. C'est parce qu'ils ne voient *que* cette lourde corvée que je leur impose. Par contre, lorsque je décompose la tâche en plusieurs étapes et que je leur demande de se concentrer uniquement sur une chose à la fois, comme de ramasser les petites autos en premier, puis les figurines et ensuite les livres, cela leur facilite la tâche. Et il est plus probable qu'ils vont tout terminer sans se plaindre ou être frustrés. En fait, lorsque nous en faisons une course, le nettoyage du sous-sol peut même s'avérer amusant.

Suivez vos progrès

Les réalisations écrites en noir sur blanc sont une façon d'être inspiré à continuer d'avancer. Le fait de suivre les progrès de vos accomplissements immédiats et de vos insuccès vous permettra d'être constamment à l'affût.

Il y a une chose que je trouve aussi importante que d'écrire mes buts et c'est de suivre mes progrès. J'ai suivi mes progrès par rapport à l'écriture de mon livre en notant sur un calendrier le temps je passais à taper. De cette façon, j'étais capable de revoir le nombre d'heures que j'y avais vraiment consacré dans une semaine. Les heures manquées étaient un signal que je devais redoubler d'efforts avant la fin de la semaine pour atteindre le délai que je m'étais fixé. Et j'observais aussi ma consommation d'eau quotidienne en faisant une petite marque sur ma main chaque fois que je buvais un verre d'eau. Lorsqu'il m'arrivait certains jours d'oublier de noter chaque verre d'eau, je n'atteignais pas mon objectif quotidien. En fait, certains jours j'oubliais complètement mon objectif de boire plus d'eau uniquement parce que je ne suivais pas mes progrès.

Peu importe la *manière* choisie pour enregistrer vos progrès, je vous encourage fortement à suivre les progrès de chaque réalisation et de chaque lacune pour vous assurer d'être responsable de l'une comme de l'autre. Par exemple, si votre but exige que vous travailliez pendant un certain nombre d'heures, écrivez l'heure à laquelle vous commencez et l'heure à laquelle vous terminez. Que vous utilisiez un journal, un calendrier, un carnet ou que vous écriviez sur votre main, notez la durée/la quantité/les progrès. Lorsque vous observez les efforts fournis, vos réalisations (ou votre inactivité) se retrouvent directement sous vos yeux.

Si vous n'arrivez pas à atteindre un but pour une raison ou une autre, notez-le et voyez de quelle façon vous pouvez vous rattraper. En sachant ce que vous avez fait et ce que vous devez faire chaque jour, vous serez davantage capable de déterminer de quoi auront l'air vos prochains buts quotidiens et les actions requises pour les réaliser. Votre plan est peut-être d'aller au centre de conditionnement cinq jours par semaine. Alors, si le vendredi vous vous rendez compte que vous n'y êtes allé que trois fois plutôt que quatre, vous devriez planifier d'y aller deux fois durant la fin de semaine afin de vous assurer de réaliser votre objectif.

Au cours des deux dernières années, c'est à cause de mon livre si j'ai été capable, entre autres, de démarrer ma propre entreprise, d'écrire quatre livres (qui en sont à différentes étapes de leur développement) et d'accomplir d'autres projets, de lire des dizaines de livres, de participer à des colloques, de rencontrer des centaines de nouveaux collègues ayant les mêmes intérêts que les miens, de me faire de nouveaux amis, de nouvelles connaissances et d'avoir de nouveaux adhérents, de commencer à faire du coaching individuel, d'obtenir plusieurs contrats pour donner des conférences, d'avoir un horaire d'entraînement physique régulier (j'ai perdu plusieurs couches de graisse et j'ai davantage de muscles), de déménager dans une jolie maison dans un beau quartier (j'y rêvais depuis toujours) et de m'acheter une nouvelle voiture.

Aujourd'hui, mon mari est beaucoup plus heureux, il est en meilleure santé, et il y a davantage de spiritualité dans sa vie. Il est plus concentré, plus déterminé, plus courageux et plus épanoui qu'il ne l'était quand tout cela a commencé. Il est plus aimant et plus en paix avec le passé et les erreurs qu'il a faites. Il se fixe régulièrement des buts concrets. Il a commencé à faire du conditionnement physique et à bien manger, ce qui a eu comme effet d'améliorer sa santé en général. Il a perdu du poids et a augmenté sa force. Il a un nouvel emploi qui est excellent et qui lui permet de bénéficier d'une rémunération illimitée. En plus, il travaille à la maison, ce qui s'est avéré très avantageux pour toute la famille. Non seulement il m'aide à atteindre mes buts personnels en me donnant le temps dont j'ai besoin, mais cela nous a permis de nous rapprocher sur le plan familial.

J'ai aussi commencé à m'impliquer à l'école de mon fils et dans quelques organismes à vocation spirituelle. J'ai une relation privilégiée avec mes enfants. J'ai aussi obtenu le soutien de personnes intéressées à faire ma promotion ainsi que celle de ce livre. Je prépare maintenant de magnifiques repas pour ma famille, et ce, sur une base régulière. Tout cela grâce à ce programme! Mais avant tout, j'ai été en mesure de réussir à atteindre *tous* les buts à court terme que je m'étais fixés, ce qui m'a inévitablement rapproché de mes buts à long terme et, en bout de ligne, de ma vision.

❧❧

« Ce que nous persistons à faire devient plus facile,
ce n'est pas la tâche en soi qui est devenue plus facile,
mais plutôt notre capacité à la réaliser qui s'est améliorée. »

RALPH WALDO EMERSON

❧❧

Déterminer votre plan *pour cet instant* est aussi important que d'avoir une vision de votre avenir, étant donné que cet instant est vraiment le seul que vous ayez. Ce que vous choisissez d'en faire est ce qui compte le plus. Un instant perdu ne peut jamais être rattrapé. Lorsque vous vous fixez des objectifs quotidiens et que vous appliquez immédiatement envers votre plan d'action, alors l'avenir se charge du reste, un instant à la fois.

N'oubliez pas qu'il ne s'agit pas d'une compétition. Travaillez au rythme qui *vous* convient. Chaque petite réussite sera nourrie par la suivante et vous permettra d'acquérir de la force. Dans le temps de le dire, vous aurez atteint les buts quotidiens que vous vous étiez fixés afin de réaliser un but à court terme, puis un autre, et un autre, chacun vous permettant ainsi de vous rapprocher de vos buts à long terme et de votre vision d'avenir.

Vous avez *maintenant* en vous tout ce dont vous avez besoin pour créer la vie de vos rêves. Soyez reconnaissant de ce qui se trouve à l'intérieur et à l'extérieur de vous. Persévérez en ayant la foi et en faisant preuve de courage. Ne laissez pas les problèmes qui pourraient survenir demain vous empêcher de réaliser quelque chose aujourd'hui puisqu'ils ne sont, en fait, que des problèmes qui *pourraient* survenir *demain*. De jour en jour, une petite étape à la fois, vous *pouvez* et vous *arriverez* à réaliser vos buts. Concentrez-vous sur ce qui doit être accompli aujourd'hui et vous serez surpris de voir que les erreurs passées et les problèmes futurs ont été miraculeusement résolus.

CHAPITRE 12

POURQUOI ÉCHOUONS-NOUS ?
DE QUELLE FAÇON ÉVITER LES PIÈGES

« La plus grande erreur qu'un homme puisse commettre est d'avoir peur d'en faire une. »
ELBERT HUBBARD

Bon! Disons que vous avez écrit un but à court terme et que tout semble très bien sur papier, pas vrai ? Vous commencez déjà à penser que votre vie sera formidable une fois que vous l'aurez atteint puis, tout à coup, la panique s'installe. *Suis-je prêt ? Suis-je capable ? Comment vais-je y arriver ?* Allez-vous ensuite faire une liste des *raisons* pour lesquelles vous ne pouvez pas le mener à bien finalement ? Les excuses se précipitent dans votre tête à la vitesse de l'éclair… *Je n'ai pas suffisamment de temps. Je n'ai pas suffisamment d'argent. Je ne suis pas assez vieux ou jeune. Je ne suis pas assez intelligent. Je n'ai pas de diplômes. Je demeure trop loin. Mon conjoint va m'embêter. Mes enfants vont m'y empêcher. Je ne sais pas ce que je fais. C'est trop stupide. C'est trop de travail.*

Vous reconnaissez-vous ?

Nous l'avons tous déjà fait. Nous avons visé un but, conçu un projet ou pris une résolution et nous avons ensuite échoué. Nous l'avons oublié ou nous avons abandonné le jour suivant, la semaine suivante ou le mois suivant. Voyons les choses telles qu'elles sont. Une idée n'est bonne que dans la mesure où elle est appliquée. L'enthousiasme est le point de départ. Par contre, la réussite ne vient pas du fait d'être plus intelligent ou plus passionné qu'une autre personne. Il faut de la patience, de la ténacité et de la persévérance; *voilà les qualités d'un gagnant.*

Nous ne sommes pas parfaits. Nous avons tous échoué dans un domaine quelconque; et plus particulièrement en ce qui a trait à nos buts. Il n'y a pas qu'*une* seule raison pour laquelle nous échouons. **En fait, pour chaque but visé, il y a au moins une dizaine de façons d'échouer. Voici les plus apparentes :**

1) L'indécision

Vous n'arrivez pas à savoir ce que vous devez faire ou ce que vous voulez ? Vous n'êtes pas certain de connaître vos talents et vos rêves ? Changez-vous constamment d'idée ? Plusieurs d'entre nous échouons parce que la confusion nous empêche de nous engager dans nos rêves. La confusion peut mener à un processus où nous commençons quelque chose, puis nous abandonnons, ou pire, nous ne faisons rien du tout. Si vous n'êtes pas capable de savoir ce que vous voulez, comment pouvez-vous vraiment réaliser quoi que ce soit ?

La solution face à l'indécision :

Si vous ne l'avez pas déjà fait, trouvez un endroit paisible, prenez un stylo et commencez à faire un véritable travail d'introspection. Le moment est venu de créer la vie que vous voulez vivre! Chacun de nous peut accéder à notre sagesse la plus profonde ainsi qu'à la sagesse de Dieu, si seulement nous nous arrêtons suffisamment longtemps pour *écouter. Écouter ?* Que veut dire *écouter* au juste ? J'ai trouvé la réponse à cette question lorsque j'ai découvert la gratitude.

En effet, la puissance de la gratitude peut même vous aider à acquérir la sagesse (ou suivre votre intuition) afin de trouver les réponses que vous cherchez. Comme je l'ai déjà mentionné, j'ai passé plusieurs années de ma vie à demander des choses à Dieu, y compris Ses conseils. Lorsque je priais, je Lui posais des questions telles que : « *Quels sont mes talents ? Que devrais-je faire de ma vie ? Quel est mon destin ?* ». À partir du moment où j'ai cessé de poser des questions et où j'ai commencé à remercier pour ma créativité, mon intuition et toutes les autres choses pour lesquelles j'étais douée et que j'aimais à mon sujet, alors les réponses ont commencé à m'inonder littéralement… Et je suis devenue assez sage pour *écouter* (pour saisir les pensées et m'abandonner aux émotions qui faisaient surface plutôt que de les étouffer). En quelques semaines, j'ai commencé à me sentir extrêmement calme. C'était comme si un énorme poids venait d'être retiré de mes épaules. Je ne ressentais plus le besoin de poser des questions ou de réprimer mon instinct naturel.

Lorsque nous demandons quelque chose à Dieu, c'est comme assumer que nous ne l'avons pas déjà. En nous posant des questions du genre : « *Que devrais-je faire pour gagner ma vie ? Quels sont mes talents ? Que devrais-je rechercher chez un conjoint ? Qu'est-ce que j'aime ? Qu'est-ce qui est important pour moi ?* », nous perdons énormément de temps. Que vous en soyez conscient ou non, les réponses se trouvent déjà en vous. Demandez plutôt de *faire preuve de sagesse pour écouter la réponse* lorsqu'elle vous est transmise. Les réponses se trouvent partout : dans nos conversations, nos prières, à la télé, dans les livres, au travail, dans nos cours de poterie, à l'église, au centre de conditionnement physique, à l'école et aussi à bien d'autres endroits. Elles sont partout et à l'intérieur de nous : dans notre esprit et dans notre cœur. Je dirais même que vous devriez redoubler d'efforts en étant reconnaissant puisque la gratitude vous permet de voir ce que vous possédez déjà, et avec le temps et la pratique, vous acquerrez de la sagesse.

❧❧❧

« Gardez toujours dans votre esprit l'idée que votre propre décision de réussir est plus importante que tout. »
ABRAHAM LINCOLN

❧❧❧

Si vous désirez obtenir les réponses aux « grandes » questions de la vie, regardez tout d'abord en vous. Je vous propose des questions ci-dessous pour vous aider à trouver certaines de vos vérités aujourd'hui même, *dans l'instant présent*. Lisez-les ou écrivez vos réponses dans votre journal quotidien de gratitude. Prenez tout le temps dont vous avez besoin. Vous n'avez pas à répondre immédiatement à toutes les questions, mais lisez-les au moins une fois ou *demandez* (ou priez) de pouvoir faire preuve de la sagesse nécessaire afin d'obtenir les réponses. N'oubliez surtout pas d'*écouter* les réponses, car lorsque vous serez prêt à les recevoir, elles vous seront données!

Cet exercice peut être utilisé pour pratiquement n'importe quoi, que ce soit pour trouver la meilleure façon de gagner votre vie, à quel cours vous devriez vous inscrire à l'université ou les qualités que vous devriez rechercher chez un conjoint. Soyez très honnête lorsque vous répondez. Par honnête, je veux dire que vous devriez écrire ce que *vous* pensez et ressentez profondément, ce que *vous* voulez et ce que *vous* aimez réellement, et non ce que les autres voudraient que vous ayez, que vous pensiez et que vous ressentiez.

Commencez par examiner vos comportements; vos pensées, vos émotions et votre façon de faire les choses. Ils contiennent les réponses à plusieurs de vos questions :

- Quel genre de personne êtes-vous ? Êtes-vous de nature ambitieuse ? Êtes-vous toujours en train de sauter d'une branche à l'autre ? Préférez-vous vous asseoir et relaxer ? Avez-vous une personnalité de type A qui aime contrôler les situations ? Ou préférez-vous faire seulement le minimum de travail requis ?

- Quels sont vos véritables dons et talents ?

- Pour quelle activité avez-vous un penchant naturel ? Pour la communication, la danse, la vente, le théâtre, les affaires, l'amour, l'argent ou l'immobilier ? Aimez-vous aider les gens à résoudre leurs problèmes ?

- Dans quelle discipline excellez-vous ?

- Pour quelle chose avez-vous de l'instinct ? Que savez-vous d'instinct à votre sujet (et même au sujet des autres) ?

- Qu'est-ce qui vous inspire ? Qu'est-ce qui vous rend heureux ?

- Que veut votre âme et de quoi a-t-elle besoin ? De chanter, créer, acheter, conclure des affaires importantes, nourrir, servir, enseigner ou bâtir un empire ?

- Qu'aimez-vous vraiment faire ? Sont-ils vraiment vos intérêts personnels ou ceux que quelqu'un vous a imposés ?

- Qu'est-ce qui vous passionne *éperdument ?* Non pas ce que vous avez découvert il y a quelques jours, mais ce dont vous avez absolument besoin dans la vie.

- Quelle est la chose dont vous ne pouvez vous passer ?

- Qu'est-ce que vous détestez réellement ? Seriez-vous disposé à faire des concessions dans l'un ou l'autre de ces domaines ?

- Que voulez-vous vraiment faire ? Rêvez-vous de diriger votre propre entreprise un jour ou préférez-vous être un salarié ? Ne négligez aucune possibilité.

- Si vous aviez le choix, quel « uniforme » porteriez-vous au travail ? Un t-shirt, un jeans, un habit, un maillot de bain, une blouse de laboratoire ou un chapeau de directeur ?

- Quel est votre niveau d'engagement ? Élevé, infime ou indéterminé ? Êtes-vous une personne engagée qui se concentre sur une chose ou cherchez-vous constamment la nouveauté pour combler un vide ?

- Quelle est votre *vision* de l'avenir ? Que désirez-vous être, faire, avoir, connaître dans les cinq à dix prochaines années ?

- Avec quel genre de personnes vous voyez-vous passer le reste de vos jours ? Quelqu'un d'aimant, fidèle, drôle, sociable, sensible, athlétique, attentionné et bon ?

- Que désirez-vous vraiment obtenir d'ici un an ou deux ? Avoir une maison, une carrière, un conjoint, des enfants, être un parent au foyer, voyager, aider les gens, vous asseoir et relaxer tous les jours ou bâtir un empire ?

- Avec quel genre de personnes voudriez-vous passer vos journées ? Elles auraient quel genre de personnalité ?

- Combien d'argent voulez-vous vraiment ? Vous le voulez à quel moment ? Qu'en ferez-vous ?

- Où voulez-vous demeurer ? Dans un condo à la ville, dans une petite maison de banlieue, dans une somptueuse maison à Beverly Hills, dans une maison en bois rond dans les montagnes, dans une cabane sur le bord de la mer ou une ferme retirée ?

- Comment voulez-vous meubler votre environnement ?

- À quel rythme voulez-vous travailler ? De quelle façon vous voyez-vous vous rendre à votre travail ? Avec quel genre de personnes voulez-vous travailler ? Combien d'heures voulez-vous travailler ? Combien d'heures voulez-vous investir ? Quel genre de poste désirez-vous occuper ? En tant que propriétaire, PDG, employé de soutien, représentant commercial ou technicien ?

- Quelle est la meilleure façon pour vous de servir l'humanité autant que vos propres besoins ? Qu'est-ce qui vous vient le plus naturellement ?

- Quelle est la chose que vous désirez le plus au monde et pour laquelle vous feriez n'importe quoi pour l'obtenir ?

- Quelle valeur donnez-vous à l'argent, à du temps pour vous, à votre famille, aux voyages, à l'éducation, aux défis, à la créativité, à la sécurité, au pouvoir, à la gloire, aux convictions, à l'amitié, à l'amour, à l'intégrité, à l'inspiration, aux responsabilités, à la liberté, à la fidélité, etc. ?

- Y a-t-il une chose que vous pourriez regretter de ne pas avoir fait avant de mourir ?

- Qu'elle est LA chose que vous voulez vraiment accomplir avant de mourir ?

- Quel rêve souhaiteriez-vous n'avoir jamais abandonné ?

- Pour quel aspect de votre vie avez-vous le plus de gratitude ?

À l'aide du cahier d'exercices gratuit fourni au www.LaGratitudeEtVosButs.com, écrivez ce qui vous vient à l'esprit. En faisant ce simple exercice d'intériorisation, vous commencerez à savoir vraiment qui vous êtes et ce que vous voulez et aimez vraiment.

Cette liste ne devrait <u>pas</u> être influencée par :

- l'argent que vos parents, votre conjoint et vous-même possédez;

- les personnes que vous connaissez ou ne connaissez pas votre expérience ou inexpérience;

- le fait de faire quelque chose (ou d'être avec quelqu'un) qui pourrait vous rapporter beaucoup d'argent; des études ont révélé qu'il est possible de faire beaucoup d'argent en faisant n'importe quoi de *la bonne façon;*

- le fait d'agir à sa fantaisie, d'avoir soif de sensations fortes ou de vouloir faire de l'argent rapidement;

- d'autres personnes.

Tout cela *vous* concerne puisqu'il s'agit de découvrir ce qui se cache au fond de votre âme. Vous n'aurez probablement pas besoin de plus de quelques jours ou semaines pour y voir clair. S'il vous faut plus de temps, ne vous en faites surtout pas. Une fois que vous aurez trouvé quelque chose, prenez quelques minutes pour être reconnaissant envers chacune des découvertes. Et lorsque vous aurez terminé, assurez-vous de remercier du fond du cœur pour la *sagesse* qui vous a permis de faire ces découvertes.

Les réponses ne vous seront peut-être pas données comme vous l'attendiez. Nous connaissons tout au moins les choses que nous faisons bien. Et nous avons quand même une bonne idée de certains de nos talents et dons même si nous ne sommes pas capables de les utiliser pour faire de l'argent. Je ne chante pas ou je ne joue pas d'un instrument et je ne suis pas une personne particulièrement douée pour les sports. Je suis nulle en mathématiques, en géographie et en histoire. Je sais par contre dans quel domaine j'excelle et ce que j'aime faire. Mes intérêts et mes talents combinés sont une source de grande force, d'une immense valeur, et il en est de même pour vous.

Cet exercice ne vous permettra peut-être pas de savoir exactement ce que vous devez faire pour gagner votre vie ou l'endroit où trouver l'âme sœur, mais votre cœur vous parlera. Alors, si vous éliminez tout le bavardage négatif qu'il y a dans votre tête et que vous *écoutez* vraiment, les pièces manquantes du casse-tête vous seront présentées. Lorsque vous verrez plus clair, n'hésitez surtout pas à formuler un énoncé de vision en ce qui a trait à votre avenir ainsi qu'au moins un but à court terme, tous deux suivis d'objectifs quotidiens pertinents afin d'amorcer le processus.

2) Faire de mauvais choix

Vous ne serez pas suffisamment motivé pour réussir si vous cherchez à atteindre quelque chose que vous ne désirez pas vraiment. Maintes et maintes fois, les gens acceptent un emploi, amorcent des relations et prennent des responsabilités qui ne les intéressent pas vraiment afin de satisfaire les besoins des autres, combler un vide, payer les factures ou seulement s'en sortir. Vous ne pouvez pas être heureux en faisant quelque chose que votre âme ne veut pas faire.

La solution pour pallier aux mauvais choix :

Commencez en étant totalement honnête avec vous-même et référez-vous au dernier exercice. Si vous avez déjà fait une liste de toutes les choses que votre âme désire vraiment, alors il n'y a pas de raison pour que vous fassiez autre chose. Ne laissez pas votre ignorance vous empêcher d'utiliser vos connaissances. Je ne sais pas tout. Plus j'éprouve de la gratitude, plus je suis en relation avec la toute-puissance de Dieu et plus j'en deviens consciente. Cependant, je connais maintenant certains de mes talents et de mes rêves et je les utilise pour faire du mieux que je peux. Du moment que j'écoute et que je reste ouverte aux nouvelles opportunités qui s'offrent à moi, les réponses continuent à jaillir tous les jours.

Ayez le courage de concrétiser vos aspirations profondes, et ce, en commençant aujourd'hui même. Si une chose ne se trouve pas sur votre liste, alors ne la faites pas. N'oubliez pas que c'est de votre vie dont il s'agit et que vous devez vivre avec les répercussions de vos décisions. Faites ce qui est le mieux pour VOUS.

3) Manque de détermination

Si vous n'êtes pas engagé dans vos objectifs, vous allez les « mettre sur une tablette » ou les oublier complètement. L'échec a tendance à engendrer l'échec tout comme la réussite engendre la réussite. Lorsque nous abandonnons devant un échec temporaire, et commençons et abandonnons les objectifs, nous adoptons un comportement basé sur l'échec qui peut être difficile à dépasser. Si vous n'êtes pas prêt à faire tout ce qu'il faut de A à Z pour atteindre vos objectifs, vous ne devriez même pas vous fixer d'objectifs au départ.

Avec toutes les opportunités qui sont offertes dans le monde, on pourrait croire que tout le monde devrait être millionnaire. Mais ce n'est pas vraiment le cas, n'est-ce pas ? Nous avons tous des rêves et des objectifs, et alors que certains sont assez courageux pour courir après leurs objectifs, ce ne sont que les gens qui sont déterminés à se concentrer sur leurs objectifs jusqu'à ce qu'ils les atteignent qui vont réussir.

La solution pour pallier au manque de détermination :

Si vous cherchez à réaliser un but qui est important pour vous et que vous voulez rester motivé, mettez tous vos efforts à réaliser vos buts à court terme. N'oubliez pas que ce sont eux qui vous permettent d'atteindre vos buts à long terme, et en bout de ligne, votre vision. Ne vous laissez pas envahir ni distraire; suivez votre programme tel que vous l'avez élaboré en vous fixant tout d'abord des buts à court terme stimulants, puis des buts quotidiens. Atteignez-les en entreprenant une action à la fois. Si vous désirez obtenir quelque chose à tout prix, n'ayez pas de doutes et n'abandonnez surtout pas. Vous devez persévérer jusqu'à ce que vous l'obteniez.

4) Manque de concentration

L'une des principales raisons pour lesquelles les gens n'atteignent pas leurs objectifs est qu'ils ne concentrent pas tous leurs efforts pour les réaliser. Si vous vous êtes fixé des objectifs dans le passé et que vous avez échoué, c'est peut-être parce que vous étiez trop occupé à faire autre chose ou que vous tentiez de faire trop de choses à la fois. Si vous ne cessez pas de vous éparpiller partout, en mettant toutes vos énergies dans des corvées, des choses à faire, le travail, et tout le reste, comment pouvez-vous vous attendre à réaliser vos propres objectifs ? Vous n'avez qu'une tête, deux bras et deux jambes. L'ambition n'a jamais été une mauvaise chose, mais lorsque vous vous laissez distraire, vous pouvez devenir stressé et dépassé par les événements. Vous ne pouvez tout simplement pas atteindre un objectif si vous ne lui donnez pas priorité.

La solution pour pallier au manque de concentration :

Donnez-vous du temps. Allouez-vous un certain nombre d'heures dans votre horaire chargé pour réaliser vos buts quotidiens. Ne passez plus tout votre temps à faire des choses pour les autres sans avoir de temps pour vous. À la longue, la cuisine, le ménage et le travail devront parfois attendre s'ils font en sorte que vous êtes trop occupé ou fatigué pour travailler sur vos propres projets. Vous êtes ici sur la terre pour une seule raison et c'est pour suivre *votre* destinée et non pour être le chauffeur de l'un, la bonne d'un autre ou l'assistant de votre patron. Ces choses vous semblent peut-être importantes maintenant, mais valent-elles la peine d'être troquées contre vos rêves ? Vous devez poursuivre vos rêves!

Commencez par vous concentrer uniquement sur un ou deux buts à court terme à la fois en dirigeant toute votre attention sur chacun jusqu'à ce qu'ils soient réalisés. Donnez-vous de trente minutes à une heure chaque jour (et plus si possible) pour travailler sur vos buts quotidiens. Et si vous ne croyez pas qu'il y a suffisamment de temps dans une journée, levez-vous plus tôt le matin. Au début, ce ne sera peut-être pas facile, mais après quelques semaines, vous en aurez pris l'habitude à un point tel que vous pourrez en faire encore plus; les résultats en vaudront la chandelle!

N'oubliez pas que ce sont *VOS* buts. Réalisez-les à votre propre rythme, mais ne les oubliez jamais ou ne les abandonnez pas en utilisant l'excuse que « vous n'avez pas suffisamment de temps ». Dieu vous a donné vingt-quatre heures par jour comme tout le monde. À la fin de votre vie, si vous n'avez pas réalisé vos rêves, vous estimerez sûrement que la lessive aurait pu attendre!

5) Vivre avec un sentiment d'indignité

L'un des plus grands saboteurs qui nous empêchent de réussir est certainement ce sentiment d'indignité enfoui au creux de notre être. Si dans le fin fond de votre être vous ne croyez pas que vous méritez de réussir, alors vous aurez beau vous fixer des tonnes de buts, vous ne réussirez jamais et vous éloignerez la réussite de manière inconsciente. Nous avons tous déjà entendu parler de gagnants à la loterie qui se sont retrouvés sans le sou trois ans après avoir gagné. Ils ne croyaient pas mériter cette bonne fortune, alors ils l'ont repoussée. Si vous voulez tout avoir, vous devez tout d'abord savoir que *vous méritez de tout avoir*. Ne laissez pas les autres vous dire ce que vous valez ou ce que vous devez accomplir dans la vie; *vous* êtes la seule personne qui puisse prendre cette décision.

La solution pour vous sentir digne :

Pour ne plus vous sentir indigne, vous devrez procéder à un travail d'introspection honnête. Il ne suffira pas de vous dire que vos anciennes croyances sont fausses pour y arriver. En fin de compte, vous devrez remplacer ces fausses croyances par des croyances plus vraies et positives. *Dieu vous aime et vous méritez pleinement toutes Ses bénédictions et toute Son abondance.* Si cela peut vous aider, répétez ce message plusieurs fois par jour en ressentant une gratitude et une conviction sincères.

Si vous voulez tout avoir, vous devez tout d'abord croire que vous méritez de tout avoir. Vous ne devez pas laisser les autres vous dire ce que vous valez. Vous êtes la seule personne qui puisse prendre cette décision. Aujourd'hui est une nouvelle journée. Prenez le contrôle de votre vie aujourd'hui même. Le passé n'est rien de plus qu'un récit à mettre dans les livres d'histoire. C'est à votre tour maintenant d'imaginer votre avenir comme vous le souhaitez. Formulez un énoncé de vision et élaborez quelques buts à court terme qui sont ambitieux et sur lesquels vous concentrer. Les petites et les grandes victoires vont accroître votre confiance et elles vont vous donner encore plus de raisons d'être reconnaissant. Vous devez savoir que votre réussite ou votre échec ne dépend que de vous.

6) Avoir peur

La peur est la principale raison pour laquelle des millions de gens n'ont jamais réussi à réaliser leurs rêves. On pourrait certainement écrire des milliers de livres sur le sujet, suffisamment pour remplir toute une bibliothèque. La peur se définit comme une émotion douloureuse et intense (anxiété, crainte) causée par l'anticipation d'une situation ou d'un événement potentiellement dangereux. Autrement dit, tout se passe dans notre esprit!

La peur n'est pas palpable. Elle ne peut pas vous faire de mal sur *le plan physique*. Et pourtant, c'est le pire des ennemis, puisqu'il s'agit de l'émotion qui est à la base de toutes les autres pensées autodestructrices. La peur est ce qui fait en sorte que nous nous sentons « étouffé » ou « en sécurité » dans notre situation actuelle. Et pour certaines personnes, la peur est l'émotion qui les pousse à agir immédiatement. Nous apprenons à éviter les situations pénibles en associant la peur à certaines choses. Plusieurs personnes croient que la peur est correcte et nécessaire pour éviter d'avoir mal. Après tout, n'est-ce pas la peur qui fait qu'un enfant apprend à ne pas mettre ses doigts dans les prises électriques ou à ne pas se placer devant les voitures en marche dans la rue ?

En général, nous avons souvent peur de ne pas être capable ou de ne pas être suffisamment intelligent. De quoi aurions-nous l'air si nous essuyions un échec ? Peut-être deviendrions-nous trop suffisants si nous réussissions ?

De quoi avez-vous peur ?

- Peut-être avez-vous peur d'être trop occupé ou de vous ennuyer ?

- Peut-être avez-vous peur d'être pauvre ou de voir votre vie changer de manière imprévisible si vous deveniez riche ?

- Peut-être avez-vous peur d'être seul ou de vous engager avec une personne pour le reste de vos jours ?

- Peut-être avez-vous peur de penser au genre de parent que vous pourriez devenir ou de regretter d'avoir choisi de ne pas avoir d'enfants ?

- Et que dire des relations sexuelles ? Peut-être avez-vous peur de céder trop rapidement ou de ne jamais être aimé ?

- Avez-vous déjà pensé à posséder votre propre entreprise et y avoir ensuite renoncé ? Peut-être aviez-vous peur que cela exige trop de responsabilités ou d'avoir à travailler pour quelqu'un d'autre pour le reste de vos jours ?

Si nous attirons ce sur quoi nous nous concentrons, alors plus nous nous concentrons sur la peur et plus la peur prend de place dans notre vie. La peur d'être blessé par l'inconnu; les « *comment* », les « *et si* » et même le résultat sont souvent ce qui nous empêche de poursuivre nos rêves. Nous nous mentons et nous mentons aux autres en nous disant satisfaits de ce que nous avons, quand, au contraire, nous ne le sommes pas. Nous croyons que nous nous tirons d'affaire. De cette manière, nous n'avons jamais à risquer d'être inconfortable ou d'échouer. Mais nous n'avons pas non plus à risquer de réussir.

Si vous n'êtes pas vigilant, ce simple petit mot « peur » vous volera vos rêves et votre vie. La peur vous laissera avec un sentiment de vide intérieur et de désirs inassouvis et vous empêchera de vous épanouir.

La peur est la raison pour laquelle nous choisissons souvent de ne rien faire. Il est beaucoup plus sûr de vivre sans prendre de risques, mais est-ce satisfaisant ? Que croyez-vous qui pourrait arriver si *vous faisiez face* à vos peurs et si vous essayiez de sortir de votre zone de confort ? D'une part, en agissant ainsi est-ce que vous vous feriez du mal ou mettriez-vous quelqu'un ou vous-même en danger ? Si la réponse est « non », alors qu'avez-vous vraiment à perdre ? D'autre part, que pourriez-vous gagner en « reconnaissant » vos peurs et en vous lançant à la conquête de l'or ? Peut-être l'accomplissement, la richesse, l'indépendance, l'amour, la liberté, la santé et la joie ?

La solution pour pallier à la peur :

Regardez vos peurs en face. Le monde a été construit par des personnes qui ont regardé leurs peurs en face et qui les ont dépassées!

Arrêtez de juger vos peurs. Elles ne sont ni bonnes ni mauvaises. Ce ne sont que des peurs. Plutôt, soyez reconnaissant de ressentir l'émotion que vous cataloguez comme une « peur ». En présence de la gratitude, vos peurs vont se transformer en courage et vous allez acquérir de la force pour les dépasser. Pour réaliser n'importe quel objectif, il faut du courage, et que serait le courage sans la peur ? Rien, il n'existerait pas. Si nécessaire, demandez à Dieu de vous aider à trouver le courage à l'intérieur de vous. Que vous le sachiez ou non, tout comme Dieu l'est, le courage est toujours avec vous et il attend seulement que vous lui fassiez signe.

Attaquez-vous à toutes les émotions de peur de plein fouet en passant immédiatement et constamment à l'action. Fixez-vous un objectif et soyez déterminé à le réaliser. Si vous ne vous sentez pas à l'aise au début, redoublez d'efforts. Lorsque ce sera terminé, et je peux vous assurer que ce le sera, vous serez plus sage, plus fort, plus confiant et plus victorieux que jamais auparavant.

7) S'adonner à la procrastination

Remettre quelque chose à plus tard, c'est-à-dire s'adonner à la *procrastination* est l'une des causes d'échec les plus courantes et pourtant les plus évitables. Mais pourquoi nous adonnons-nous à remettre à plus tard ? Nos conditions ne sont pas tout à fait adéquates ? Nous n'avons pas suffisamment de temps ? Ce n'est tout simplement pas le « bon » moment ? Vous travaillez mieux sous pression ? Ou si nous étions tout à fait honnêtes, nous adonnons-nous à la procrastination parce que nous sommes gênés, inconfortables, paresseux ou parce que nous avons peur ? Toutes ces choses ne sont-elles pas seulement des excuses pour éviter d'avoir potentiellement mal ?

La solution pour pallier à la procrastination :

Il n'y a rien de tel que le moment parfait, la condition parfaite, le bon nombre d'années d'expérience ou la bonne quantité de ressources pour commencer quelque chose. Le moment idéal est *maintenant* et les conditions parfaites sont ici *maintenant* avec ce que vous êtes et ce que vous avez en main pour travailler. Vous n'avez pas besoin d'avoir un million de dollars pour démarrer votre propre entreprise. Vous n'avez pas besoin d'un ordinateur pour écrire votre scénario de film et vous n'avez pas besoin d'avoir un certain poids pour fréquenter quelqu'un. Vous n'avez pas besoin d'avoir la bonne musique dans votre iPod pour aller faire du jogging et vous n'avez pas besoin de toute une journée à vous pour faire de la recherche ou des appels de sollicitation à froid. Vous devez tout simplement arrêter de chercher des excuses et commencer à passer à l'action maintenant!

Au début, il est rare que les tâches et les projets que nous entreprenons nous pèsent ou nous fassent peur. Ils le deviennent si nous attendons trop longtemps avant de les exécuter. Pour revenir à l'exemple cité dans le chapitre précédent, un placard encombré et en désordre n'est rien d'autre que cela, c'est-à-dire un placard encombré et en désordre. Toutefois, le seul fait de penser à le nettoyer peut faire en sorte de vous causer un sentiment d'accablement, de stress et de culpabilité si vous ne vous en occupez pas tout de suite; tout ce stress uniquement pour un placard!

La plupart du temps, les tâches et les projets qui nous attendent ont en réalité beaucoup moins d'importance que celle que nous leur donnons. Par contre, plus nous attendons et plus ils prennent des proportions inimaginables. Aussi, nous devenons de plus en plus convaincus que nous ne pourrons jamais les accomplir sans que ce soit très douloureux. En conséquence, il y a de très bonnes chances pour que ce ne soit jamais réalisé. Dans les faits, ce n'est pas le projet en soit, mais le fait d'attendre, de reporter à plus tard et nos sentiments qui font en sorte que nous nous sentons ainsi.

Récemment, j'ai dû remplir des formulaires pour inscrire mon fils à la maternelle cet automne. Ils devaient être remplis immédiatement puisque les places étaient occupées rapidement. Malgré tout, j'ai remis cette tâche à plus tard pour la simple et unique raison que je déteste vraiment remuer de la paperasse. En fait, j'ai attendu si longtemps l'année précédente que mon fils n'a pu commencer la maternelle. Alors, après des semaines d'attente, d'appréhension, de stress et d'accablement, et cela, c'est sans parler de la culpabilité, j'ai finalement pris la décision de télécharger les formulaires et de commencer. J'étais scandalisée lorsque je me suis aperçue qu'il n'y avait qu'un seul formulaire de quelques lignes à remplir. C'était tout! En fait, j'avais ressenti du stress inutile uniquement à l'idée de les remplir. Si j'avais seulement utilisé un peu de ce temps pour les examiner à fond plutôt que d'essayer de les éviter, et surtout être stressée, alors j'aurais su à quoi m'attendre. Et de penser que j'avais presque fait la même erreur que l'année précédente en procrastinant!

Il n'y a rien de mieux que de prendre de bonnes habitudes pour cesser de procrastiner. Par contre, les bonnes habitudes ne se prennent pas comme par magie. Vous devez vous les inculquer en vous fixant des objectifs et en dressant des plans. Même le plus petit des progrès peut vraiment vous aider à briser le cercle vicieux de la procrastination et à ramener l'ampleur de la tâche à une taille beaucoup plus réaliste. Au fur et à mesure que vous commencerez à faire des progrès réguliers, des bonnes habitudes de travail s'incrusteront et votre confiance en vous s'installera. Les prochaines étapes en vue d'accomplir la tâche seront plus faciles à entreprendre et inévitablement à accomplir une fois que vous vous serez débarrassé du cafard des tout premiers débuts.

❧

« La seule façon de contourner un obstacle est de le traverser. »
ROBERT FROST

❧

Êtes-vous le genre de personne qui procrastine parce que vous vous êtes convaincu de ne pas avoir suffisamment de temps ? Dans les chapitres précédents, nous avons appris beaucoup de choses pour ce qui est de décomposer les buts. Vous n'avez pas besoin de tout terminer en même temps. Peu importe son importance, chaque but peut être décomposé en objectifs plus petits, plus réalisables et en actions requises pour y arriver. Par exemple, supposons qu'il ne vous reste que six jours pour préparer votre déclaration de revenus. Prévoyez combien de temps vous aurez besoin pour terminer et ensuite divisez par le temps qu'il vous reste pour le faire. Si le délai est dans six jours et que vous croyez qu'il vous faudra quatre heures pour terminer votre déclaration de revenus, alors planifiez de travailler seulement quarante minutes chaque soir au cours des six prochains jours.

Venez à bout de la procrastination en remplaçant vos mauvaises habitudes de travail et vos excuses par de bonnes habitudes de travail et par des actions. Arrêtez de perdre du temps à vous en faire en pensant à vos limites. Plutôt, nourrissez une vision dans votre esprit en imaginant ce à quoi le résultat final ressemblera. Et ne vous en faites pas au cas où les choses ne tourneraient pas exactement comme vous l'aviez prévu. Et si les choses allaient encore mieux que prévu! Alors, donnez-vous une date d'échéance spécifique.

Arrêtez les préparatifs. Arrêtez la procrastination. Il n'y a pas de bonnes conditions ou de bon moment. Maintenant, à l'endroit où vous vous trouvez, avec ce que vous avez et ce que vous connaissez déjà, voilà les bonnes conditions. Ensuite, que vous croyiez être prêt ou non, commencez à passer à l'action immédiatement avec les connaissances, le temps et les ressources que vous avez. Continuez à poser les actions requises pour conserver votre élan. Tout le reste se placera à l'endroit où il doit aller.

Voici encore quelques raisons de plus pour lesquelles les gens ne commencent pas ou n'atteignent pas leurs buts :

- Il faudrait trop de temps pour le développer;
- Il faudrait trop de temps pour le réaliser;
- Il leur manque des compétences;
- Il y a des idées qui manquent;
- Il pourrait y avoir un risque d'échec;
- Les idées choisies ne sont pas très formidables;
- Ils ne sentent pas qu'ils peuvent réussir à accomplir la tâche;
- Ils ne savent pas comment se vendre l'idée à eux-mêmes.

Chaque fois que vous atteignez un but, vous désamorcez une autre peur. Lorsque vous aurez un but quotidien sur lequel travailler, vous aurez moins peur de l'avenir. Portez votre attention sur un jour ou même une chose à la fois et la peur n'aura pas d'emprise sur vous. Vous serez trop occupé à travailler pour satisfaire les exigences de la journée et vous ne vous ferez plus de souci pour l'avenir. Je ne veux pas insinuer que vous ne devriez pas prendre de précautions pour éviter des problèmes futurs, je veux tout simplement dire qu'en étant plus efficace aujourd'hui, vous allez diminuer de manière dramatique les chances d'avoir des problèmes plus tard.

Qui contrôle votre destinée après tout ?

Êtes-vous maître de votre destinée ? Si ce n'est pas vous, alors qui est-ce ? En conséquence, plus vous sentirez que vous avez le contrôle de votre destinée et plus vous aurez confiance en vous. Les gens qui sentent qu'ils sont les créateurs de leur destin sont plus responsables pour tout ce qui leur arrive, que ce soit *bon ou mauvais*. Ils passent à l'action et prennent des décisions en toute confiance en faisant bien attention de ne pas faire retomber la faute sur les autres si les choses ne tournent pas nécessairement bien. Et lorsqu'ils *subissent* un échec, ils trouvent une nouvelle approche et se remettent à nouveau au travail pour essayer encore. Ils n'abandonnent jamais leurs buts parce que cela signifierait s'abandonner eux-mêmes.

Malheureusement, la plupart des gens renoncent à prendre le contrôle de leur vie en laissant tout leur pouvoir à des forces externes. Ils deviennent le jouet de quelqu'un en *réagissant* constamment face aux situations sans jamais rien créer.

Vous êtes une merveilleuse personne digne de recevoir tout ce que vous désirez, car vous êtes l'enfant de Dieu! Vous êtes né avec des qualités et des talents uniques qui n'attendent que vous les optimisiez. Ayez totalement confiance que vous pouvez faire tout ce que vous désirez. Fixez-vous des buts et atteignez-les en sachant que Dieu est là pour vous encourager en tout temps et jusqu'à la fin.

Vous êtes né en ce monde, vous pensant invincible, mais avec le temps vous avez été reprogrammé pour penser que vous valiez moins. Vous devez savoir ce qui suit : finalement, la vie est beaucoup moins aisée pour les personnes qui sont bafouées dans ce monde que pour celles qui en prennent le contrôle. Vous devez *MAINTENANT* retrouver votre pouvoir, ce pouvoir qui vous revient de droit et qui vous a été conféré le jour de votre naissance.

CHAPITRE 13

DÉVELOPPER LE MUSCLE DE LA CONFIANCE

୧୬

« Nous devons intérioriser cette idée d'excellence.
Peu de gens prennent le temps de viser l'excellence. »

BARACK OBAMA

୧୬

Les gens qui réussissent ont confiance en eux. Vous n'avez qu'à demander aux gens qui vivent la vie dont vous rêvez vous-même de vivre. Mais comment pouvez-vous agir en toute confiance si vous ne croyez pas avoir confiance ou si peu ?

La confiance est le fait de croire en vous. Il s'agit d'une émotion qui fait en sorte que vous êtes assuré que vous *pouvez* arriver à réussir quelque chose. Tout d'abord, je voudrais commencer par vous dire que vous avez déjà confiance en vous, que vous en soyez conscient ou pas. Pensez à toutes les choses que vous avez faites au cours de votre vie jusqu'à aujourd'hui : vous avez appris à marcher, à danser, à chanter, à lire, à faire de la bicyclette, à conduire une voiture, etc. Peut-être avez-vous obtenu un diplôme de niveau secondaire ou collégial, vous vous êtes marié, vous avez eu des enfants, vous avez eu des relations interpersonnelles, vous avez laissé tomber une mauvaise habitude ou vous en avez appris une nouvelle, vous vous êtes trouvé un nouveau passe-temps, vous avez fait une nouvelle recette, vous avez appris une nouvelle langue, etc. Pensez à toutes les choses que vous avez peut-être déjà apprises à votre sujet en lisant et en suivant le programme présenté dans ce livre! Pour y arriver, vous avez dû vous débarrasser de la procrastination et vous avez utilisé une certaine dose d'initiative. Attribuez-vous un peu de mérite!

J'ai deux fils, âgés respectivement de trois ans et de quatorze mois. Tous les jours, j'ai le privilège de les voir apprendre les tâches complexes que nous les adultes prenons pour acquis. L'autre jour, mon bébé a fait ses premiers pas. C'est quelque chose d'énorme pour lui parce qu'il ne s'est pas levé un matin et s'est tout simplement mis à marcher. Il lui a fallu des mois à force de s'accrocher à des choses et de tomber avant de faire un premier pas seul en toute confiance. C'est la même chose pour mon autre fils qui est en train d'apprendre à lire et à écrire. Quelle joie de le voir former des mots tout simples de deux lettres!

Ce sont des tâches extrêmement complexes requérant de l'intelligence et de la coordination et qui perturberaient même l'ordinateur le plus puissant de la planète et je ne crois pas avoir jamais rencontré quelqu'un qui se soit donné du mérite pour les avoir apprises. À l'âge adulte, nous savons comment faire depuis si longtemps que nous ne nous souvenons même plus comment nous les avons apprises. Mais lorsque nous observons les enfants en apprentissage, nous pouvons voir qu'ils sont courageux de naissance. Ils *veulent* avoir et faire davantage. Ils *veulent* grandir, apprendre et accomplir de nouvelles tâches tout comme les adultes.

Il doit bien y avoir eu un moment dans votre vie où vous ne laissiez pas le doute s'installer puisque vous seriez encore assis sur les genoux de votre maman à attendre qu'elle vous nourrisse. Cela peut paraître ridicule, n'est-ce pas ? Bien sûr que ce l'est et encore, lorsque je rappelle aux gens la confiance qu'ils avaient lorsqu'ils étaient enfants, la plupart disent que les enfants n'ont tout naturellement peur de rien parce qu'ils ne connaissent rien d'autre. Je suis ici pour vous dire qu'ils ne sont pas sans peur et qu'ils prennent tout simplement des risques. Et ce fut déjà votre cas!

La différence qu'il y a entre les adultes et les enfants est que ces derniers ont une zone de confort bien plus grande que la nôtre. Nous naissons sur cette terre en étant ouverts à des idées et des possibilités infinies. Plus nous passons de temps sur la terre et plus s'enracinent nos habitudes. Il devient donc plus difficile de trouver des façons de sortir de nos zones de confort pour essayer de nouvelles choses.

Lorsque nous essayons quelque chose de nouveau, le premier pas est toujours le plus difficile parce que c'est celui qui nous fait sortir de notre zone de confort. Mais nous ne pouvons pas changer si nous ne sortons pas de cette zone sécuritaire et si nous ne confrontons pas nos peurs. Chaque fois que nous essayons (ou apprenons) quelque chose de nouveau, nos paramètres prennent de l'expansion. Et plus nous nous amenons à essayer de nouvelles avenues, plus nous devenons flexibles. Non seulement sommes-nous davantage capable de nous adapter au changement, mais nous faisons preuve du courage nécessaire pour chercher de nouvelles opportunités afin de créer ce changement.

Tout comme c'est le cas pour le courage, la confiance n'est nullement l'absence de peurs, mais plutôt ce que vous devenez en les surmontant. La peur est un phénomène naturel. Montrez-moi une personne qui dit ne rien craindre et je vous montrerai une personne qui dit des bêtises. La peur est innée. C'est ce qui fait en sorte que notre instinct de survie est fort et que notre intuition est aiguisée. C'est de notre devoir de sortir de notre zone de confort si nous désirons réussir dans la vie. En dominant nos peurs une à la fois, nous nous attardons moins aux petits problèmes qui se présentent, ce qui nous libère afin que nous puissions réaliser des buts et des rêves plus grands.

❧

« La peur ne disparaît jamais vraiment complètement.
Ce qu'on en comprend, ce qu'on en apprend et ce qu'on en fait
témoignent de la personne que nous sommes.
Elle est un facteur déterminant face à notre avenir. »

❧

Bien souvent, les gens invoquent des excuses pour justifier le fait qu'ils ne réussissent pas : ma mère m'a abandonné lorsque j'étais enfant, mes parents étaient alcooliques, mon père me battait, j'ai été agressé sexuellement, nous étions pauvres, j'ai quitté l'école en bas âge, etc. Les reproches ne sont rien de plus que le refus d'être responsable de sa propre vie. Que vous l'admettiez ou non, vous êtes un adulte maintenant et *VOUS ÊTES LA SEULE PERSONNE* à être responsable de votre vie. Il est impossible de réaliser vos rêves si vous continuez à invoquer des excuses ou à reprocher à d'autres d'être la cause de vos problèmes et de vos faiblesses. Peu importe que votre colère envers quelqu'un puisse être justifiée, vous êtes la seule personne responsable de limiter votre avenir, en vous accrochant au passé.

Si vous n'avez aucune confiance en vous parce que vous croyez avoir eu une vie tourmentée, alors il est temps de bien vous regarder dans le miroir. Si ce que vous voyez est quelqu'un d'abattu par tous les « poids lourds » que vous avez dû soulever, regardez-vous à nouveau. Je ne suis peut-être pas une spécialiste de la physiologie, mais je sais une chose et c'est que lorsque les êtres humains soulèvent continuellement des objets lourds, leurs corps deviennent plus forts, et non plus faibles. Je n'ai jamais rencontré d'haltérophile qui était faible. Notre esprit est comme notre corps. Plus nous « soulevons », plus nous développons de la force et des capacités.

Chaque jour que vous passez en étant accroché au passé est une journée perdue. Quel genre d'héritage voulez-vous léguer : un héritage basé sur les reproches et les regrets ou un héritage empreint d'amour, de bonheur et de réussite ? Il n'en tient qu'à vous !

≈≈

« La vie n'est pas perdue en mourant.
La vie se perd de minute en minute, de jour en jour malheureux,
dans les milliers de petits gestes non attentionnés. »
STEPHEN VINCENT BENET

≈≈

Lorsque vous sentez de la résistance à faire quelque chose, examinez attentivement la cause de ce malaise. Est-ce la peur qui veut vous faire croire que vous n'êtes pas capable ou que vous n'êtes pas digne ? Si vous désirez accroître votre confiance, alors faites le *contraire* de ce que vos peurs vous dictent (tant et aussi longtemps que vous ne risquez pas votre vie ou celle de quelqu'un d'autre, bien sûr). Prenez la *décision* de le faire, *visualisez un résultat positif*, et *passez à l'action* en vous concentrant sur ce résultat tout en sachant que vous n'avez rien à perdre et peut-être bien quelque chose d'extraordinaire à en retirer. Franchissez une étape à la fois en vous fixant de petits buts quotidiens jusqu'à ce que vous y soyez arrivé.

Développez le muscle de la confiance en faisant face à vos peurs ! Surmontez-les en ayant l'esprit ouvert et le courage pour saisir de nouvelles idées et de nouvelles opportunités et passer à l'action. Chaque fois que vous essayez quelque chose de nouveau, vous faites le plein de connaissances. Les connaissances vous donnent du pouvoir ! Plus vous posséderez de connaissances et plus vous aurez confiance en vous. Avez-vous déjà rencontré quelqu'un au sommet de son art qui manquait de confiance en lui ?

Le talent ne suffit pas pour se démarquer. Même les personnes les plus douées doivent surmonter des obstacles. Est-ce que Tiger Woods a peur de jouer lorsqu'il y a des millions de personnes qui le regardent ? Est-ce que Oprah Winfrey a peur d'interviewer le président des États-Unis ? Est-ce que Donald Trump a peur de bâtir des gratte-ciels ? Êtes-ce que Bill Gates s'inquiète que personne n'achète la dernière version de Windows ? Je suis certaine que toutes ces personnes *ont déjà eu peur* à un certain moment de leur vie. Mais en pratiquant, elles ont gagné une confiance inébranlable pour devenir les meilleurs dans leur domaine.

Une confiance absolue ne s'obtient pas du jour au lendemain. C'est un muscle qu'il faut développer et qui s'exerce au fil du temps grâce à l'amour de soi, de la foi et aux réussites passées remportées en ayant pris des risques. Quels sont vos talents ? Jouer du piano, jouer au basket-ball, faire du conditionnent physique, aider les autres, cuisiner, peut-être même pour les relations sexuelles ? Comment vous sentez-vous lorsque vous faites ces activités ? Impossible de vous arrêter. Plein d'énergie. Accompli. Compétent. Puissant. Lorsque vous vous permettez de vous sentir confiant dans un domaine, il est fort probable que vous allez prendre plus de risques dans d'autres domaines. Les petits buts peuvent vous permettre de tirer de petits avantages, mais chaque victoire nourrit l'estime de soi et la confiance en général. Le fait de canaliser ces émotions vous motivera à vous concentrer sur des buts plus grands et plus ambitieux.

J'ai connu bien des hauts et des bas au cours de ma vie. J'ai passé des moments magnifiques qui m'ont montré ce que je désirais le plus obtenir dans la vie. Mais c'est dans les moments les plus sombres que j'ai appris le plus sur la façon de les attirer. C'est quand j'étais dans des relations plus difficiles que j'ai décidé que je valais mieux. C'est quand j'occupais les emplois les plus décevants que j'ai décidé d'arrêter de perdre mon temps et d'être authentique par rapport à mes talents et mes buts. C'est quand ma santé était défaillante que j'ai décidé de faire des changements drastiques pour profiter d'une meilleure santé. Et c'est quand les affaires allaient mal sur le plan financier que je suis devenue responsable de ma vie en m'engageant à passer à l'action et faire de ma vie ce dont j'avais toujours rêvé.

Nous travaillons toute notre vie en essayant d'avoir les choses auxquelles nous rêvons et en tentant d'être ce que nous rêvons de devenir. Cependant, c'est l'adversité que nous devons affronter tout au long de notre route qui nous rend plus forts. C'est en se relevant des malheurs de la vie que nous regagnons confiance en nous. Nous devenons plus résilients, plus forts et plus ingénieux! Le docteur Michael Bernard Beckwith, visionnaire et l'un des auteurs du livre *Le Secret* dit qu'il croit que nous sommes tous extraordinaires. Il y a quelque chose de merveilleux en chacun de nous. Peu importe ce qui s'est passé dans notre vie, peu importe l'âge que nous pensons avoir, à la minute où nous commencerons à penser positivement, ce qui est en nous, *cette puissance en nous* qui est, plus grande que le monde, commencera à faire surface. Elle prendra le contrôle de votre vie et elle vous nourrira, vous habillera, vous guidera, vous protégera, vous dirigera et vous facilitera l'existence si vous la laissez faire! C'est du moins ce dont il est certain.

L'énoncé le plus remarquable que vous pouvez formuler à votre sujet est de dire « Je suis ». Cet énoncé indique la confiance que vous avez en vous-même « d'être » vous-même et de manifester vos désirs. Le verbe « vouloir » comme dans « Je veux être riche » ou « Je veux réussir » indique qu'il y a quelque chose qui manque en ce moment. N'oubliez pas que tant et aussi longtemps que Dieu habite votre cœur et que vous avez la foi, il n'y a aucune raison pour que vous ayez l'impression de « manquer » de quelque chose. Vous avez déjà tout ce dont vous avez besoin pour réussir. Et à partir du moment où vous aurez décidé qu'il en soit ainsi, il en sera ainsi.

Les gens qui formulent l'énoncé « Je suis » du bout des lèvres le font parce qu'ils croient qu'ils se mentent. Ils se posent la question suivante : « Comment puis-je honnêtement dire que "Je suis riche" lorsqu'il est évident que je ne le suis pas ? » Vous devez vous rappeler que l'univers répond à la fréquence que vous établissez. Lorsque vous faites ressortir *ce que vous voulez* (le manque, l'absence de) plutôt que *ce que vous avez*, vous créez encore plus de cette même chose : *un état de manque*. Lorsque vous faites ressortir le « Je suis », cela devient aussi votre réalité, qu'elle soit positive ou *négative* (par exemple : « Je n'ai pas de temps »).

Il est important de se reprogrammer pour « être » ce que nous désirons. Plutôt que de vous dire « Je veux être heureux », dites-vous « Je suis heureux ». Dites-le tout au long de la journée, si nécessaire. Commencez par être reconnaissant de toutes les choses qui vous rendent heureux. Les énoncés qui commencent par « Je suis » sont une excellente façon de communiquer vos intentions à l'univers. En le faisant souvent, vous reprogrammez votre façon de penser pour accepter ces mots comme étant des faits, c'est-à-dire que vous *êtes* heureux plutôt que *d'attendre* d'être heureux. Ensuite, agissez en conséquence.

La gratitude crée la confiance

Il est difficile d'avoir la motivation pour essayer quelque chose de nouveau lorsque nous n'avons tout simplement pas confiance en notre capacité à le faire. Cela se produit lorsque vous vous concentrez trop sur ce que vous n'avez pas (de l'argent, du temps, etc.) plutôt que sur ce que vous avez déjà. Comment pouvons-nous retrouver cette confiance ? En témoignant de la gratitude, bien entendu!

La gratitude nous permet de rester concentré sur nos forces et non sur nos faiblesses. Souvenez-vous de la prière : « J'ai de la gratitude pour tout ce que je suis et tout ce que je possède. Je ne me plains de rien. » Il s'agit d'un rappel que vous avez tout à l'intérieur de vous pour « être » le changement que vous désirez. Si vous cherchez le bonheur, sachez qu'il se trouve à l'intérieur de vous n'attendant seulement qu'un signe de votre part. Si vous voulez posséder de l'argent, faites appel à cette partie de vous-même qui reconnaît l'abondance autour de vous et à l'intérieur de vous. Si vous êtes perdu ou confus, demandez à la toute-puissance de Dieu d'avoir la sagesse de reconnaître Ses conseils.

Apprécier ce que vous avez déjà et comprendre que Dieu vous guide pour vous aider à avancer peuvent vous donner la confiance nécessaire pour mener à bien n'importe quel genre d'objectif. C'est ce que vous faites de cette motivation qui compte le plus. Vous pouvez commencer à être confiant dès maintenant en faisant preuve de gratitude. Assoyez-vous et faites une liste de toutes vos forces et de tous vos talents, si cela peut vous aider. Reconnaissez chacun d'eux en laissant monter un flot de remerciements sincères à leur égard. Faites ressortir les avantages de ce que vous avez déjà plutôt que de vous arrêter à vos faiblesses personnelles et aux échecs du passé.

Relevez le défi des « 21 jours »

Il y aura toujours un certain niveau d'inconfort dans chaque nouvelle chose que vous allez essayer. Cela ne veut pas dire que c'est mauvais ou que cela ne vous convient pas. Les habitudes se créent à force de persévérance, de pratique et d'efforts soutenus. Les efforts soutenus aident à acquérir de la force. La pratique vous permettra de mettre de côté tout inconfort que la nouvelle activité pourrait produire. La persévérance la transformera en habitude. Aussi évident que cela puisse paraître, vous sentirez de l'inconfort jusqu'à ce que vous soyez à l'aise. Une fois que la nouvelle activité sera devenue une habitude, vous commencerez à voir la différence et vous ne voudrez jamais revenir à l'époque où cette habitude ne faisait pas partie de votre vie.

Le docteur Maxwell Maltz est le créateur de la théorie de la création d'une habitude en 21 jours. Il indique qu'il faut environ vingt et un jours consécutifs de pratique pour acquérir une nouvelle habitude, introduire une nouvelle pensée ou établir une nouvelle routine afin qu'elles deviennent gravées dans notre mémoire. Si vous voulez prendre une nouvelle habitude et la conserver, vous aurez besoin d'environ trois semaines de pratique avant que votre cerveau n'accepte cette nouvelle habitude comme étant normale. Une fois que les vingt et un jours seront terminés, cette habitude sera une seconde nature qui vous donnera la force de continuer. L'idée derrière le fait d'acquérir une nouvelle habitude est de continuer et de ne pas abandonner. Les chances qu'elle devienne une routine quotidienne et permanente augmentent, plus vous la gardez longtemps, une fois la période de vingt et un jours terminée. Et bien entendu, plus vous aimez ce que vous faites, plus vous trouverez cela facile et plus vous vous améliorerez.

Lorsque vous ne cessez d'abandonner et de commencer des projets, vous ne pouvez pas réaliser de projets qui en valent la peine. Pourquoi donc devriez-vous acquérir une nouvelle habitude si vous ne la gardez pas une fois que la période de vingt et un jours est terminée ? Le journal quotidien de gratitude n'est pas une chose conçue pour vous compliquer la vie. Lorsque je l'ai conçu pour moi, mon intention première était de me faciliter la vie en me donnant des priorités pour que je sois plus efficace durant la journée. En persévérant, vous pourriez prendre de bonnes habitudes qui vont durer toute votre vie.

Ce programme est très indulgent. Si vous sentez que vous êtes un tant soi peu déphasé ou si un jour vous n'avez pas écrit dans votre journal, ne soyez pas trop dur avec vous-même. Vous n'avez qu'à replonger sans hésiter, car même si vous abandonnez et vous recommencez vingt fois de vingt façons différentes, c'est très bien ainsi. Vous avez peut-être besoin de *vingt et une fois* pour y arriver! En fait, certaines des plus grandes inventions de notre époque ont été mises au point à force de ténacité et de persévérance. L'aspirateur sans sac Dyson G-Force a été créé après cinq ans de recherche et la production de 5 127 prototypes. Edison a eu besoin de 10 000 tentatives « avortées » avant qu'il ne puisse inventer l'ampoule électrique. Et l'inventeur des skis Head a brisé des milliers de prototypes et quitté les pentes de ski au milieu des huées avant de gagner des millions de dollars.

Avant de décider que ce programme n'est pas pour vous, essayez-le! N'allez pas le mettre sur une tablette comme toutes les autres choses qui sont couvertes de poussière. Je vous lance le défi de prendre l'habitude d'écrire dans votre journal quotidien de gratitude pendant vingt et un jours consécutifs. Enregistrez vos progrès en étant honnête et précis et attendez de voir ce qui va se produire! Lorsque les vingt et un jours consécutifs seront terminés, jetez un coup d'œil aux résultats. Comment vous sentez-vous ? Avez-vous fait de véritables changements ? Qu'avez-vous appris à votre sujet en réalisant cette expérience ? Quels sont les buts que vous avez atteints ? Est-ce que ça valait le coup ? Quel est le prochain objectif que vous désirez réaliser ?

Je vous garantis que vous obtiendrez des résultats impressionnants après seulement vingt et un jours *ou moins* de travail dans le cadre de ce programme. Qu'avez-vous à perdre (sauf les chaînes qui vous attachent et vous empêchent de réaliser vos rêves) ?

CHAPITRE 14

LA RELATION LA PLUS IMPORTANTE
EST CELLE QUE NOUS AVONS AVEC NOUS-MÊME

&

« Vous n'êtes peut-être pas responsable de votre hérédité,
mais vous êtes responsable de votre avenir. »
AUTEUR INCONNU

&

Jusqu'ici, nous avons parlé des façons d'atteindre vos buts à l'extérieur de vous. Maintenant, nous allons nous concentrer sur votre monde intérieur, sur votre manière de manifester vos pensées, vos émotions et votre comportement.

Malgré toute la pression que vous vous créez en essayant de faire concurrence aux voisins, votre bonheur n'a pas vraiment rapport avec ce que vous avez ou n'avez pas. Votre bonheur n'a rien à voir non plus avec votre éducation, l'endroit où vous demeurez ou la façon qu'on vous a élevé. Toutefois, votre bonheur *est* le résultat direct de *la personne que vous êtes* aujourd'hui, de vos pensées, de vos croyances, de vos émotions, de votre comportement, et surtout, à savoir si vous *profitez* bien de la vie. Votre monde extérieur n'est qu'un simple miroir de votre monde intérieur, « l'extérieur étant un reflet de l'intérieur ». Alors, il est tout à fait sensé de dire que pour recevoir des avantages positifs dans le monde extérieur, vous devez être disposé à opérer des changements salutaires à l'intérieur de vous.

❧❧

« Nous ne voyons jamais les choses telles qu'elles sont,
mais plutôt telles que nous sommes. »

ANAIS NIN

❧❧

Revenons au tout début du livre alors que nous parlions de la *pensée*. Nos pensées, plus précisément, notre façon de les gérer, influencent nos émotions et notre comportement, et déterminent la personne que nous sommes aujourd'hui. Rien dans la vie, aucun mot, aucune action, pensée et situation, il n'y a *rien* qui a du sens jusqu'à ce que nous lui en donnions un. Ce sont nos pensées, nos émotions et nos perceptions qui complètent les espaces blancs qui autrement ne seraient que des espaces vides. Nous pouvons passer toute notre vie à donner notre opinion presque sur n'importe quoi et n'importe quelle personne que nous rencontrons. Nous le faisons même en ce qui nous concerne. Les choses sont telles que nous *croyons* qu'elles sont. Les gens sont tels que nous *croyons* qu'ils sont. Nous sommes tels que nous *croyons* être.

La personne que nous sommes est en constante évolution, ou du moins, elle *devrait* l'être. Le vieil adage qui dit qu'il est impossible pour un léopard de changer ses taches est une sottise. Bien entendu, nous ne pouvons pas changer la couleur de notre peau pas plus qu'un léopard ne peut changer ses taches. Mais cela ne veut pas dire que nous devons faire du surplace. Nous pouvons changer nos habitudes et devenir plus heureux, en général, aussitôt que consciemment nous prenons la *décision* qu'il en soit ainsi.

Vous êtes le plus heureux lorsque vous cheminez en faisant du développement personnel. Ce n'est pas seulement une question de ce que vous pouvez acheter ou de quelle voiture vous pouvez conduire. Le développement personnel implique votre *devenir*, c'est-à-dire atteindre de nouveaux sommets de conscience par la connaissance et l'expérience. C'est une question de se retrouver à un endroit où vous savez de manière intuitive ce que vous aimez et ce que vous n'aimez pas. C'est une question de savoir *comment* être bon et réaliser les changements que vous devez faire pour vous libérer de pensées, d'émotions et de comportements autodestructeurs. Apprenez à vous connaître en examinant vos pensées et vos croyances, en comprenant de quelle façon elles peuvent influencer votre manière d'être. Vous ne pouvez pas transformer la réalité, mais vous pouvez changer ce que vous ressentez par rapport à cette réalité. Soyez conscient de vos pensées, non seulement ce à quoi vous pensez, mais aussi les effets de vos pensées sur votre vie actuelle.

❦

« La vérité vous libérera. Mais avant que ce soit le cas,
il se peut qu'elle vous mette en colère. »
JERRY JOINER

❦

Vous devriez considérer votre relation avec vous-même comme un mariage duquel vous ne pouvez pas divorcer. Peu importe l'endroit où vous allez, vous êtes pris avec *vous*, et cela, pour le meilleur et pour le pire. Vous pouvez vous sauver, mais vous êtes la seule personne de laquelle vous ne puissiez vous cacher. Vous pouvez mettre fin à des relations avec d'autres personnes, vous pouvez laisser votre emploi, vous pouvez même essayer une « cure géographique » et déménager. Le fait est que les gens sont les mêmes partout où vous allez, et c'est la même chose pour vous! Peu importe les efforts que vous ferez pour essayer de vous échapper, vous serez toujours aux prises avec le même comportement défaitiste jusqu'à ce que vous fassiez des efforts pour changer.

En tant qu'êtres humains, nous sommes faits pour progresser en devenant plus forts sur les plans physique, émotionnel, intellectuel *et* spirituel. Lorsque nous cherchons à nous améliorer, nous prospérons et nous nous épanouissons. C'est lorsque nous cessons de nous améliorer que nous commençons à dépérir.

La croissance personnelle est bien plus que de simplement changer de carrière, tomber amoureux ou se remettre en forme.

Il s'agit d'un état de conscience constant visant à :

♥♥♥   être plus aimant, plus patient et plus aimable;

♥♥♥   accepter les choses *telles qu'elles sont;*

♥♥♥   donner sans rien attendre en retour;

♥♥♥   vraiment *écouter* et être plus empathique envers les autres;

♥♥♥   avoir de la compassion pour soi;

♥♥♥   vivre en étant le plus authentique possible et accomplir votre mission;

♥♥♥   aimer inconditionnellement et sans réserve;

♥♥♥   vivre honnêtement et purement;

♥♥♥   être plus en paix avec vous-même;

♥♥♥   avoir confiance en l'amour de Dieu;

♥♥♥   croire en votre propre valeur et dignité.

Ces leçons universelles peuvent prendre toute une vie avant de pouvoir les maîtriser, mais les récompenses sont extraordinaires. Ce que vous étiez il y a cinq ans ou cinq minutes n'a pas vraiment d'importance. Ce qui compte c'est de savoir ce que vous *désirez* être à partir de maintenant, et *devenir* cette personne.

Les quatre vérités du développement personnel

Il y a plus de six milliards de personnes dans le monde, chacune ayant sa propre vie. Avec autant de personnes qui cherchent à exercer un contrôle sur leur vie, une certaine turbulence est presque inévitable. Mais que croyez-vous qui pourrait se produire si toutes ces personnes travaillaient à être authentiques et à donner le meilleur d'elles-mêmes ? Ne vivrions-nous pas dans un monde meilleur ? Votre *monde* ne serait-il pas meilleur ? Si ce que vous voulez c'est de changer le monde, alors vous devrez tout d'abord *vous* changer. Comment allons-nous y arriver ? Concentrez-vous sur ce que j'appelle…

Les quatre vérités du développement personnel :
>   1) la prise de conscience;
>   2) l'acceptation;
>   3) la responsabilité;
>   4) l'action.

1) La prise de conscience

La prise de conscience est simplement d'admettre qu'il y a un problème, que votre vie n'est pas ce que vous voulez qu'elle soit.

L'ignorance est euphorique. Ce qu'on ne sait pas, ne nous fait pas mal. Elle n'est surtout pas euphorique lorsqu'elle vous maintient dans la dèche autant sur le plan émotionnel, spirituel que financier ? Le déni est une chose étrange. Il fonctionne seulement tant et aussi longtemps que les choses tournent rondement. C'est l'approche que nous utilisons pour prétendre que nous sommes bien et que nous n'avons pas besoin de changer. Éventuellement, la réalité s'impose et nous force à prendre une décision : vivre un mensonge et nous perdre lentement ou passer à l'action et *devenir* la personne que nous sommes sensée être.

Vous ne pouvez pas vous attendre à améliorer *quoi que ce soit* si vous n'êtes pas conscient qu'une amélioration s'impose. Et c'est là que se situe le problème, n'est-ce pas ? Bien souvent, nous ne réalisons même pas que nous devons changer quelque chose. Nous nous disons que tout va bien parce que si nous admettions qu'il y a un problème cela signifierait dire que nous devrions faire quelque chose pour le régler. Alors, nous nous disons « qu'ainsi va la vie ».

La prise de conscience est la clé de n'importe quel changement. Plutôt que de faire semblant que tout va bien, ouvrez-vous les yeux et reconnaissez ce qui se passe. Est-ce que vous vivez de la manière la plus authentique qui soit ? Vous sentez-vous d'une certaine façon en tentant de vous convaincre que vous vous sentez autrement ? Aimez-vous une chose en faisant croire aux autres que vous en aimez une autre ? Souriez-vous à l'extérieur, mais êtes-vous déchiré secrètement à l'intérieur ? Êtes-vous en colère, frustré ou confus tout en sauvant les apparences ?

Soyez honnête avec vous-même par rapport à ce qui passe vraiment à l'intérieur de vous. Il s'agit du premier pas à faire pour favoriser votre croissance personnelle. Le pouvoir de l'honnêteté est incroyable. Bien des gens pensent que l'honnêteté est l'un des Dix Commandements, une chose que pratiquent seulement les personnes pures et justes. L'honnêteté s'applique à tous, et en tout temps, puisque c'est la voie royale vers la paix intérieure et le bonheur. L'honnêteté est de toujours dire la vérité face au reste du monde, mais plus particulièrement, c'est de toujours *se dire* la vérité, se faire face, faire face à notre vie et aux choses qui nous troublent (nos fautes et nos insécurités) et que nous essayons d'ignorer.

Prendre conscience qu'il faut changer peut parfois être la partie la plus difficile de toutes. Au départ, lorsque vous devenez conscient d'un manque, faites un effort conscient pour vous dire que vous devez l'éliminer de votre vie. Plus vous serez conscient de ce manque et plus les choses vont commencer à se placer automatiquement afin de préparer le terrain pour vous aider à changer. Supposons que vous vous rendiez compte que vous êtes quelqu'un qui n'a pas été à l'écoute des autres et que vous voudriez vous améliorer à cet égard. Vous allez devenir conscient du fait que chaque fois qu'une autre personne parle, vous l'interrompez rapidement. La prochaine fois que vous discuterez avec quelqu'un et que vous l'interromprez, pardonnez-vous mentalement et ensuite redonnez la parole à la personne. Ou encore mieux, devenez conscient des signes et arrêtez-vous *avant* que cela ne se produise!

La culpabilité et la honte

Plusieurs d'entre nous sommes gênés d'admettre que nous voulons vraiment faire quelque chose de grandiose et d'audacieux, que nous voulons devenir riche, célèbre ou connaître un succès éclatant. Peut-être avons-nous peur que d'être plus ou d'avoir plus que les autres nous attirera la critique des gens ou que ces derniers nous feront sentir comme étant une personne immorale. Peut-être que nous ne nous sentons pas dignes de recevoir de bonnes choses ou peut-être avons-nous honte puisque « les enfants de Dieu » ne devraient pas vouloir ce genre de choses matérielles. Plutôt que de suivre nos rêves et nos désirs, nous choisissons de nous sentir coupables par rapport à ces choses et nous vivons en faisant ce que les autres croient que nous *devrions* faire.

Les gens examinent tellement tout ce que les autres font que la simple idée de réussir peut faire peur. La plupart des gens prendraient bien un million de dollars si on leur offrait. Malgré tout, ces mêmes personnes s'évertuent à désapprouver les personnes qui sont plus riches qu'elles, et certaines essaient même de les faire sentir coupables de réussir autant.

J'ai ressenti ce genre de pression toute ma vie. J'ai toujours été une grande rêveuse, et par grande, je veux dire excessivement grande! Seulement l'autre jour, je mentionnais à l'une de mes amies que je voulais avoir une servante à temps plein, une assistante personnelle, une gouvernante et un chef personnel. Elle a souri. Je sentais qu'elle souriait parce qu'elle croyait que je faisais des farces, mais c'était loin d'être le cas.

Je suppose que cela veut dire qu'il faut choisir les personnes à qui nous parlons de nos rêves. Votre rêve est loin d'être une blague et ce n'est pas non plus quelque chose dont vous devez avoir honte. Cela veut tout simplement dire que vous en parlez à la mauvaise personne. Parlez-en aux personnes qui vont vous prendre au sérieux. Mieux encore, parlez-en à une personne qui a réussi et elle va vous soutenir!

✒ॐ✒

L'argent est un moyen d'arriver au but et non le but en soi.

✒ॐ✒

L'argent est bon et sans parti pris. Les gens qui font de mauvaises choses avec l'argent sont mauvais. L'argent peut être utilisé pour faire de bonnes choses. Il peut transformer votre vie et celle des autres en vous donnant l'occasion de saisir des opportunités. Il peut vous donner le pouvoir de changer le monde de telle façon qu'il vous serait impossible d'y arriver si vous n'en aviez pas. Il y a énormément de gens qui ont beaucoup d'argent et qui sont, en fait, très généreux quand vient le temps de partager leur fortune. Par exemple, il suffit de penser à toutes les choses merveilleuses que Bill et Melinda Gates ont été capables de faire par l'entremise de leur organisation caritative.

Être entièrement honnête par rapport à la personne que vous êtes et ce que vous voulez dans la vie sont les meilleures choses que vous ne puissiez pas faire pour vous. Des études ont démontré que les excentriques étaient en fait beaucoup plus heureux et en santé que la plupart des gens.

Étant donné que leur seul but dans la vie est d'être honnête avec eux-mêmes, ils ne ressentent pas le besoin de plaire aux autres. Plutôt que d'essayer de satisfaire les attentes des autres, ils font ce qui les rend heureux sans se mettre de pression, sans se sentir indignes ou coupables. Et comme ils n'exposent pas leur corps au stress que l'on ressent si souvent lorsque l'on fait semblant (ou que l'on ment), alors leur système immunitaire est plus fort et ils vivent plus longtemps, ils sont en meilleure santé et ils sont plus heureux que les autres.

Il faut beaucoup de courage pour admettre que nous voulons plus d'argent (le succès, une éducation supérieure, une passion, une plus belle maison, une voiture de luxe, un corps parfait, une meilleure relation avec Dieu, etc.). Ce n'est certainement pas quelque chose dont il faut avoir honte. Le monde a désespérément besoin de vos idées et de votre contribution. Il a besoin que vous poursuiviez vos rêves. Certains des gens ayant le plus réussi au monde se sont retrouvés où ils sont aujourd'hui parce qu'ils ont vaincu l'adversité. Ne vous sentez plus déchiré parce que vous en voulez plus. Peu importe ce que les autres vont vous dire, il est tout à fait correct de vouloir de bonnes choses, *ce l'est vraiment.*

Les gens n'ont pas besoin d'accepter ou même de comprendre vos rêves et vos désirs. En même temps, vous devez cesser de juger les gens selon ce qu'ils ont. Vous ne pouvez pas condamner quelque chose *et* le vouloir tout à la fois. Il s'ensuit un conflit intérieur qui vous empêche de réaliser vos désirs. La loi universelle du lâcher prise dit que tout ce à quoi on résiste, persiste. Alors, plus nous résistons, plus les répercussions sont grandes. Autrement dit, si nous voulons être plus heureux, plus confiant et plus en harmonie avec notre propre vie et nos propres rêves, nous devons commencer à lâcher prise et *accepter* tout simplement.

Ce qui nous amène à…

2. L'acceptation

L'acceptation est la clé vers la tranquillité d'esprit. Cela veut dire de vivre sans attente, sans jugement et sans critique. Cela veut dire qu'il faut cesser de résister à *ce qui est* et lâcher le besoin de tout contrôler.

Lorsque vous acceptez inconditionnellement toutes les autres personnes, tous les autres endroits et toutes les autres choses, sans essayer de les changer pour satisfaire vos besoins, vous pouvez concentrer votre énergie sur ce qui est vraiment important, c'est-à-dire les choses que vous *pouvez* changer. Vous êtes la seule personne sur laquelle vous puissiez exercer un véritable contrôle. Comme vous ne pouvez pas changer les autres, mais seulement vous-même, alors il est tout à fait sensé de dire que votre relation avec vous-même est la plus importante de toutes. Concentrez-vous à devenir une meilleure personne, une personne plus heureuse. Vous pouvez dire aux gens ce qui a fonctionné pour vous ou mieux encore, vous pouvez prêcher par l'exemple. Mais, à la fin, ils en viendront à leurs propres conclusions. Essayez de voir ce que vous pouvez changer, mais ne perdez pas votre temps à vouloir forcer les choses. Vous finirez seulement par vous faire du mal.

La compassion à l'égard de soi-même

L'une des plus importantes leçons que je n'ai jamais apprise est la suivante : ne jamais réagir outre mesure ou s'en vouloir pour quelque chose. Cela ne fait qu'empirer les choses pour toutes les personnes concernées. Choisissez plutôt d'avoir de la compassion pour vous-même, ce qui veut dire soyez responsable de vous-même, de vos actions et de vos expériences et ne vous sentez pas mal par rapport à celles-ci.

Le docteur R. Leary, professeur de psychologie et de neuroscience à la *Duke University* explique que la compassion pour soi « ... aide à éliminer beaucoup de colère, de dépression et de douleur que nous ressentons quand les choses ne vont pas bien pour nous… ». Selon le Dr Leary, la compassion pour soi est composée de trois éléments :

♥ être bon pour soi (contrairement à l'autocritique);

♥ jeter un regard humain sur soi (voir nos expériences négatives comme normales);

♥ s'accepter inconditionnellement (contrairement à s'identifier démesurément à des pensées, des émotions et des expériences pénibles).

Il continue en expliquant que la compassion pour soi « …semble être plus importante que l'estime de soi et qu'elle est en fait responsable de plusieurs avantages positifs qu'on attribue à une haute estime de soi ». La compassion pour soi est une composante importante de l'estime de soi. Lorsque vous aurez plus de compassion pour vous-même, vous serez plus confiant et vous aurez de meilleures chances de vous fixer des buts et de les atteindre.

ৼৡৡ

Le passé n'existe plus. Tout ce qui compte est l'instant présent.

ৼৡৡ

Un jour, alors que j'étais dans la cuisine, je me suis frappée la tête sur une porte d'armoire qui était restée ouverte. Je me suis immédiatement mise en colère contre la porte comme si c'était sa faute si elle était restée ouverte. Puis, il m'est venu à l'esprit quelque chose de très simple et fondamental par rapport à l'estime de soi. Ce n'était pas la faute de la porte si je m'étais frappée la tête, mais c'était *la mienne* puisque je l'avais laissée ouverte.

Ce jour-là, et à partir de ce moment-là, j'ai toujours fait l'effort de vivre en ayant de la compassion pour moi-même. Ne vous méprenez pas. Je ne me prends pas pour mère Teresa. Mais la compassion pour soi m'a appris à être meilleure, plus douce et à pardonner davantage aux autres et à moi-même, et plus particulièrement, aux gens qui m'entourent. La compassion pour moi-même m'a permis de retrouver une conscience et un calme que je ne croyais pas possible d'avoir, mais que j'avais toujours souhaité retrouver. Avoir plus de compassion pour moi-même m'a aussi aidée à comprendre que je n'étais pas une victime des circonstances de la vie. J'ai le contrôle sur mes réactions face à ces circonstances, et ainsi, j'ai la capacité d'influencer les résultats.

Échapper du lait est habituellement rien d'autre que le fait d'avoir échappé du lait. Que ce soit un accident ou pas, ce n'est pas grave. Attardez-vous à des choses beaucoup plus importantes (vos buts, votre famille, vous-même, l'instant présent …). Cessez de résister aux choses que vous ne pouvez pas changer et commencez à vivre en influençant les choses que vous pouvez changer!

3. La responsabilité

La responsabilité consiste à être responsable de votre vie et des changements qui doivent être faits. Être responsable veut dire que vous devez cesser de vous fier aux autres pour changer votre vie. Cela veut dire que vous devez le faire vous-même.

Ce matin, mon fils aîné a pris le jouet de son petit frère. Lorsque nous lui avons dit de lui redonner, il s'est mis à pleurer. Cet incident a engendré une discussion houleuse entre mon mari, mon fils et moi jusqu'à ce que nous allions le reconduire à l'école. Le problème est que, parfois, mon fils peut être un enfant « gâté ». Il est facile de lui reprocher son comportement, mais la question qui se pose est comment en est-il venu à être gâté en tout premier lieu ? Quelqu'un a dû lui mettre dans la tête qu'il avait droit au jouet et à tout le reste qu'il demande.

J'aurais pu dire à mon mari que notre fils était né de cette façon ou qu'il avait appris ce comportement au contact de ses amis, mais je lui aurais menti. Lui renvoyer la balle n'aurait été qu'une façon de remettre à plus tard le problème ou de l'amplifier. Je n'avais qu'un objectif et c'était de trouver une solution. Alors, j'ai fait ce qui devait être fait et je suis devenue responsable. Je me suis avancée et j'ai admis que j'en étais responsable.

Voyez-vous lorsque mon deuxième enfant est né, je sentais énormément de culpabilité parce que je ne pouvais plus passer autant de temps avec l'aîné. Plutôt que de le décevoir encore plus, j'ai pris l'habitude de lui donner tout ce qu'il voulait en tout temps. En fait, j'avais moi-même créé ce problème de comportement et non lui. Éviter les problèmes n'est pas une façon de les résoudre. Alors, aussi pénible que ce serait, je devais faire ce qu'il fallait pour nous sortir du pétrin dans lequel je nous avais mis.

❧❧

« Mon Dieu, donnez-moi la Sérénité d'accepter
les choses que je ne puis changer,
le Courage de changer les choses que je peux
et la Sagesse d'en connaître la différence. »
REINHOLD NIEBUHR

❧❧

Lorsque quelque chose de difficile se produit, plutôt que de se sentir mal, apprenez de vos choix et devenez-en responsable. Soyez déterminé à essayer de faire les choses différemment la prochaine fois. Par exemple, si vous ne vous sentez pas bien après avoir crié contre vos enfants, c'était probablement la mauvaise façon de faire face à la situation. Acceptez votre part de responsabilité dans la situation. Remerciez Dieu de vous avoir fait vivre cette expérience en comprenant que vous pouvez tirer un avantage positif de la situation. Ayez de la compassion pour vous-même et jurez-vous d'agir différemment la prochaine fois. Remerciez Dieu de vous avoir donné l'occasion de reconnaître vos erreurs et de vous avoir guidé au cours de l'expérience. Demandez-Lui de l'aide pour mettre à profit les fautes que vous avez commises pour que vous puissiez vous améliorer la prochaine fois. Ensuite, continuez à progresser en vous appuyant sur la sagesse que vous venez tout juste d'acquérir.

Nous avons tous une voix intérieure. Elle nous dit immanquablement si nos actions ou nos pensées sont positives et productives ou non. Lorsque vous ne vous *sentez* pas tout à fait confortable face à une situation, c'est probablement parce que ce n'est pas vraiment bon pour vous. C'est votre intuition qui vous parle à ce moment-là. Si vous ne reconnaissez pas cette voix, continuez à faire preuve de gratitude et bientôt, elle se fera entendre. Écoutez votre intuition et soyez responsable de vos actions, car votre intuition ne vous induira jamais en erreur.

4. L'action

Comme nous avons déjà traité de ce sujet, ce n'est pas vraiment nécessaire de fournir d'autres détails. De toute évidence, les *actions* sont une étape très importante, et peut-être même la plus importante de toutes. Sans actions, il n'y a rien qui peut changer. Les gens qui sont centrés sur les solutions ont tendance à voir un problème comme une occasion de passer à l'action en vue d'un règlement. Ils perdent très peu de temps et d'énergie à trouver la personne à blâmer. Ils se concentrent plutôt à découvrir une solution, c'est-à-dire ce qu'*ils* peuvent faire pour améliorer les choses.

Les actions sont les moyens qui nous aident à prendre les trois premières vérités (la prise de conscience, l'acceptation, la responsabilité) et les transformer en comportement proactif et en résultats palpables.

J'ai écrit ce livre parce que je voulais partager avec vous mon expérience et ma vision dans l'espoir de vous inspirer à vraiment passer à l'action. Je veux que vous sachiez que je ne me suis pas réveillée un matin en train de vivre une vie parfaite. Tout a commencé quand j'ai reconnu qu'il y avait un problème. J'ai accepté ma part de responsabilité en admettant que mes perceptions et moi-même faisions partie du problème. J'ai entrepris des actions en *utilisant* la puissance extraordinaire de la gratitude.

Le livre que vous tenez dans vos mains est la preuve vivante que les principes énoncés fonctionnent vraiment. J'avais l'habitude d'être une maîtresse de maison fatiguée, déçue et criblée de dettes et maintenant je construis, à chaque jour, la vie de mes rêves. C'est grâce à la gratitude, à Dieu et à mes buts si je suis maintenant capable de reconnaître mes blocages et de les dépasser, car il est clair qu'ils m'empêchaient d'accomplir ma destinée. Mon intuition s'est grandement améliorée à un point tel que je me rends responsable de mes erreurs avant qu'elles ne produisent des résultats désastreux. J'en suis venue à reconnaître les petits ennuis comme tels, c'est-à-dire *petits*. Je sais qu'avec chaque défaite temporaire, une opportunité de grandir m'attend. Je jouis d'une tranquillité d'esprit profonde et d'une confiance en moi-même sereine qui me comblent totalement. Je ne m'en fais plus désormais pour l'avenir, je passe plutôt à l'action avec confiance afin de produire des résultats positifs. Et ma relation avec ma famille, avec moi-même et avec Dieu est plus forte que je n'aurais pu l'imaginer.

Est-ce que ma vie est parfaite ? Non. Suis-je heureuse ? Oui. Je suis heureuse parce que je travaille activement, un jour à la fois, à atteindre la perfection que je recherche. Et, en retour, je gagne et je grandis constamment. Je suis encore stupéfaite de constater à quel point chaque petite victoire, ces simples moments de gratitude, lorsque je dis « merci » à la toute-puissance de Dieu, a un impact majeur sur ma vie. Alors, je suis envahie d'amour, de passion, d'espoir, de foi et d'une détermination totale pour *devenir* le changement dont je rêvais.

Vous n'avez pas à vous sentir jaloux, moins méritant, coupable ou redevable de quoi que ce soit dans cette vie-ci. Vous n'avez peut-être pas les mêmes avantages que d'autres, mais vous disposez des mêmes opportunités de changement et de croissance personnelle. Construisez la vie que vous désirez vivre, et cela, dès aujourd'hui en voyant à…

Appliquer les quatre vérités

Disons qu'il fait soleil aujourd'hui et que vous êtes au parc avec votre chien. Il semble bien s'amuser en gambadant avec les autres chiens. Mais quelque chose ne fonctionne pas, vous êtes tendu. Vous avez beau essayer, vous ne pouvez pas vous empêcher de penser à tout le travail qui vous attend. Même si le fait de jouer avec Fido devrait être agréable, vous n'arrivez pas à ignorer cette voix hargneuse qui ne cesse de vous dire que vous devriez être ailleurs en train de faire autre chose.

Tentons maintenant d'analyser cette situation en utilisant les quatre vérités du développement personnel :

1) La prise de conscience : en plein milieu de tout ce stress, arrêtez-vous et admettez que quelque chose ne va pas. Vous le sentez bien. Alors, ne l'ignorez pas ou ne niez pas ce que vous ressentez.

2) L'acceptation : arrêtez de vous battre et de résister au fait que vous êtes avec votre chien et que vous n'êtes pas à la maison ou au bureau en train de travailler. Respirez et laissez-vous imprégner par l'instant présent : vous êtes au parc, il fait soleil et vous êtes avec votre chien qui est tout simplement emballé d'être dehors avec vous. Soyez reconnaissant d'avoir l'occasion de passer du temps avec lui et de tout le plaisir qu'il a (et que vous pourriez avoir également). Sachez que votre travail sera toujours là lorsque vous retournerez.

3) La responsabilité : prenez du recul pour un instant et ressentez l'entière responsabilité de votre attitude. Que ce fut votre idée ou non, c'est vous qui l'avez amené là et non l'inverse. Alors, soyez responsable de votre niveau de stress. Ne jetez pas le blâme sur le chien. Peu importe ce qui se passe dans votre tête, vous êtes là où *vous avez choisi* d'être.

4) L'action : faites quelque chose pour changer ce que vous ressentez. Fixez-vous un but pour vous aider à obtenir ce que vous désirez. Par exemple, fixez-vous une heure exacte à laquelle vous retournerez à vos occupations. Respectez votre choix en ce qui a trait à cette heure. Entre-temps, *soyez* dans l'instant présent en sachant que vos besoins seront bientôt satisfaits. En attendant, soyez reconnaissant de ce temps précieux qui vous est donné pour jouer avec le meilleur ami de l'homme. Lancez-lui la balle ou allez vous promener. Souriez, riez et profitez-en, puis quittez le parc à l'heure exacte que vous vous étiez fixée. Lorsque vous serez de retour, remettez-vous au travail, le cœur léger.

Maintenir l'équilibre du corps, de l'âme et de l'esprit est la seule façon d'arriver à vivre en paix, heureux et réussir. Il est impossible de bien vous sentir si vous n'avez pas une bonne santé. Comment pouvez-vous vous sentir pleinement satisfait si vous travaillez jour et nuit ? Comment pouvez-vous réussir si votre famille est entassée dans un minuscule appartement sans confort ? Comment pouvez-vous être en paix si votre mariage bat de l'aile ? Comment pouvez-vous être heureux si vos enfants se sentent délaissés ? Comment pouvez-vous avoir la foi si vous croyez que Dieu est jaloux, rancunier et qu'Il peut vous punir ?

Votre corps, votre âme et votre esprit sont reliés. Pour être totalement heureux et ressentir un bien-être complet, vous devez maintenir un équilibre. Vous devez savoir qu'il y a un temps pour travailler et un temps pour jouer ou se reposer. Fixez-vous des buts personnels et professionnels à atteindre tous les jours, mais n'oubliez pas que vous devez passer du temps avec votre famille et vos amis. Vous devez aller vous promener au soleil avec votre chien. Vous devez vous reposer, aller vous faire masser, payer vos comptes ou tout simplement lire un bon livre (ou même un magazine populaire sur les vedettes de Hollywood!).

Soyez prêt à changer

En fin de compte, peut-être que le plus grand changement que nous pouvons faire est de devenir *prêt à changer*.

Accepter de poser des gestes est crucial lorsque vous cherchez à changer. Vous ne pouvez pas changer si vous n'êtes pas prêt à accepter de laisser tomber vos habitudes néfastes, si vous n'êtes pas prêt à accepter qu'il y a une autre façon d'agir.

Avez-vous déjà pris un morceau de gâteau au chocolat en vous disant : « Je manque de volonté. Je dois manger ce morceau de gâteau au chocolat. » Les gens disent souvent qu'ils manquent de volonté. La vérité est que nous imposons notre volonté en tout temps. Parfois, nous choisissons seulement de l'imposer sur les mauvaises choses qui vont à l'encontre de ce que nous *disons* vouloir. Imposer votre volonté de la bonne manière implique de sortir de votre zone de confort. Au début, il se peut que ce soit inconfortable lorsque nous faisons quelque chose que nous ne sommes pas habitués de faire, mais une fois que nous avons fait le premier pas et, en réalité, ce n'est qu'un effort dynamique, et la nouvelle habitude est sur le point d'être formée.

Une fois que vous aurez pris la décision et que vous aurez agi, que ce soit pour une minute ou une heure, cette sensation d'inconfort diminuera et il y a de fortes chances que vous conserverez cette habitude. Mais l'étape la plus importante est la première, il faut commencer, car la solution est d'imposer votre volonté à recommencer, et cela, à chaque jour. Si vous constatez que vous êtes sur le point d'abandonner, essayez à nouveau demain, et le jour d'après, et celui d'ensuite. Éventuellement, si cette nouvelle habitude en vaut la peine, tant et aussi longtemps que vous essaierez, vous finirez par l'adopter et la rendre permanente.

Chaque nouvelle journée vous donne l'occasion de choisir. Allez-vous choisir la nouvelle façon ou l'ancienne ? Une des raisons pour lesquelles le journal quotidien de gratitude vous assure si efficacement que vous allez atteindre vos buts est qu'il vous donne l'occasion de recommencer chaque jour. La minute que vous commencez à écrire, vous êtes stimulé à dépasser votre zone de confort pour prendre la bonne décision chaque jour. Jour après jour, à mesure que vous en gardez l'habitude, le temps que vous prenez pour écrire dans votre journal fera tout naturellement partie de votre journée (ainsi que tous les avantages indéniables qui s'offrent à vous).

Faites un *effort* de manière consciente durant la journée *pour devenir* le changement que vous recherchez. Autrement dit, soyez *prêt* à changer et souvenez-vous de vos buts lorsque vous planifiez votre journée de sorte à les atteindre. Il faut du temps et de la pratique pour changer votre façon de penser et ce que vous ressentez. Néanmoins, cherchez toujours à faire de votre mieux, mais attendez-vous à ce qu'il y ait parfois des ratés. Et lorsque vous tombez, relevez-vous immédiatement et essayez à nouveau.

Le véritable bonheur commence et se vit à l'intérieur de soi et tout ce qui est matériel n'est que le glaçage sur le gâteau. Peu importe que vous ayez beaucoup d'argent, d'amis ou de biens matériels ou que vous ayez étudié dans une université prestigieuse, si vous n'êtes pas totalement en paix avec vous-même, il n'y a aucune quantité de biens matériels qui arrivera à vous combler. *Il n'y a qu'une vie vouée à la croissance personnelle et à la joie qui peut y arriver.*

Un paragraphe du Grand Livre des AA résume parfaitement la vie et la quête de croissance personnelle. Je l'ai un peu modifié pour les besoins de ce livre et le voici donc tel que je le conçois:

« Nous voulons tous être bons. Personne ne veut être en colère, avoir peur, avoir du ressentiment ou être infidèle. De telles émotions négatives bloquent notre connexion avec ce qui est bon en ce bas monde. La plupart d'entre nous serions prêts à changer si nous savions de quelle façon nous y prendre et que ce serait facile. Il suffit d'avoir un esprit positif et ouvert et d'avoir la volonté d'essayer, sans abandonner. Soyez la meilleure personne que vous pouvez être chaque jour. C'est le plus beau cadeau que vous puissiez offrir à l'humanité autant qu'à vous-même. »

CHAPITRE 15

AUJOURD'HUI,
J'AIMERAIS CHANGER CERTAINS ASPECTS
DE MA PERSONNE

❧❧

« La seule raison pour laquelle nous sommes en vie,
c'est pour évoluer et devenir l'être complet
que nous sommes sensés devenir. »
OPRAH WINFREY

❧❧

L'argent peut acheter le bonheur, mais il n'achète qu'un bonheur profond aux gens qui étaient déjà satisfaits! Pour apprécier les récompenses qui viennent avec l'atteinte des buts, il est préférable de tout d'abord mettre certaines choses au clair puisqu'elles pourraient vous empêcher de vraiment en profiter. Ce sont des choses qui, avec de l'amélioration, vous permettront en général de modifier votre perspective, d'être plus heureux et d'avoir une plus grande paix intérieure.

C'est dans cette section de votre journal quotidien de gratitude que les quatre vérités du développement personnel sont mises en pratique. Ici et maintenant, une vie passionnante où règnent la paix intérieure, l'amour et un bonheur absolu n'est plus désormais qu'une possibilité, mais plutôt une réalité.

Les mots que vous allez écrire dans cette section vous serviront de rappel conscient des pensées négatives que vous entretenez et des autres obstacles qui compromettent votre réussite. À chaque nouvelle journée, au fur et à mesure que vous travaillez à votre développement personnel, vous commencerez à devenir de plus en plus conscient et intuitif. Vous reconnaîtrez et éliminerez les blocages intérieurs afin d'éviter les conflits de votre vie avant même qu'ils ne se produisent. Vous cultiverez une meilleure relation, plus étroite et sereine avec vous-même et avec la toute-puissance de Dieu. Avec chaque tentative honnête de changement, vous deviendrez une personne plus confiante, aimante, calme et accueillante. Qui dit mieux ?

Devenez le changement

Changer ne veut pas dire devenir quelqu'un d'autre et cela ne veut pas dire non plus de laisser tomber les qualités uniques qui vous distinguent. Améliorer ou changer certains traits de votre personnalité est un processus continu qui implique de vous débarrasser de tout ce qui est « embarrassant », c'est-à-dire, votre négativité, vos défauts, vos masques, en somme, tout ce qui fait ombrage à vos remarquables qualités.

Nous avons tous la capacité d'aimer, mais certains cœurs sont blessés par la trahison qu'ils ont subie. Nous avons tous le talent pour réussir, mais certains egos sont meurtris par la peur ou l'échec. Nous avons tous la capacité d'être heureux, mais certaines âmes sont chargées de colère et de ressentiment. Non seulement sommes-nous capables d'obtenir toutes ces choses merveilleuses dont nous rêvons, mais nous sommes *destinés* à les obtenir.

Si vous êtes prêt à changer, vous devenez responsable envers le processus d'occasionner de tels changements. Commencez en devenant conscient des choses que vous aimeriez améliorer ou changer à votre sujet (et dans certains cas, complètement vous débarrasser). Ensuite, acceptez que, de toute façon, ces choses ne fonctionnent vraiment pas pour vous, mais plutôt contre vous. Si vous n'êtes pas certain des changements que vous devriez apporter, soyez attentif à vos *véritables* émotions. Elles reflètent vos aspirations les plus profondes et sont la fenêtre menant à votre âme. Dans le doute, arrêtez-vous et écoutez la vérité cachée, c'est-à-dire ce qui se passe vraiment à l'intérieur de vous et non ce que votre mental vous dit de ressentir.

Il ne suffit pas de seulement dire : « Je suis de mauvaise humeur aujourd'hui », il faut creuser encore un peu plus. Pourquoi êtes-vous de mauvaise humeur ? Votre colère est-elle justifiée ? Y a-t-il une partie de vous-même qui sait que vous êtes uniquement égocentrique ? Que voulez-vous vraiment ? Êtes-vous aussi fort que vous voudriez le faire croire aux autres ou votre carapace n'est-elle rien d'autre qu'un masque pour protéger votre fragilité ? Vaut-il la peine de vous sentir ainsi ou est-ce que ce serait sensé de faire face à ce qui vous cause cette mauvaise humeur et/ou mieux encore, la *changer ?*

Le fait de franchir chaque étape de votre journal quotidien de gratitude augmentera votre responsabilité et vous servira de rappel envers l'engagement que vous avez pris avec vous-même afin de vous améliorer.

De quelle façon votre journal quotidien de gratitude peut-il encourager le changement ?

Chaque jour, lorsque vous écrirez dans cette section de votre journal de gratitude, vous serez motivé à vous poser la question suivante :

> **« Quelles améliorations ou quels changements devrais-je apporter à mes pensées, à mes émotions ou à mon comportement afin de vraiment voir se produire des changements positifs dans ma vie autant à l'intérieur de moi qu'à l'extérieur ? »**

Stylo en main, arrêtez-vous un instant à penser à la personne que vous désirez devenir. Allez-y tout simplement, vous n'avez pas besoin de commencer à trop analyser les choses ou à en prendre trop sur vos épaules. Plutôt que de faire ressortir les points négatifs, reconnaissez et appréciez chaque changement comme étant une nouvelle occasion de grandir.

Il y a plusieurs façons de changer dès aujourd'hui. Voici quelques suggestions :

- ♥ Voulez-vous être plus reconnaissant ?

- ♥ Voulez-vous avoir une plus grande foi ?

- ♥ Voulez-vous rire plus souvent et être moins souvent en colère ?

- ♥ Voulez-vous donner plus librement en ayant peu ou pas d'attente ?

- ♥ Voulez-vous avoir plus confiance en vous-même et croire que vous êtes capable de tout ?

- ♥ Voulez-vous être une personne plus aimante et meilleure ?

- ♥ Voulez-vous être plus honnête, fiable ou digne de confiance ?

- ♥ Voulez-vous pardonner davantage et avoir moins de ressentiment ?

- ♥ Voulez-vous moins juger, critiquer ou envier les autres ?

- ♥ Voulez-vous être plus proactif et travailler plus efficacement et non plus fort ?

- ♥ Voulez-vous être totalement honnête avec vous-même et les autres ?

- ♥ Voulez-vous être plus patient ?

- ♥ Voulez-vous être plus détendu ?

- ♥ Voulez-vous accepter davantage les choses telles qu'elles sont et avoir moins d'attentes ?

- ♥ Voulez-vous être plus optimiste ?

- ♥ Voulez-vous être plus créatif ?

♥ Voulez-vous être ponctuel en tout temps ?

♥ Voulez-vous être davantage à l'écoute des autres ?

♥ Voulez-vous être seul responsable de vos actions ?

♥ Voulez-vous réparer le tort que vous avez fait à quelqu'un ?

♥ Voulez-vous être plus courageux et avoir moins peur ?

♥ Voulez-vous tendre à réaliser votre mission encore plus totalement ?

♥ Voulez-vous commencer à vivre dans l'instant présent et être heureux malgré ce qui se produit maintenant ?

Devenir la personne que vous désirez est un processus continuel et non occasionnel. Commencez lentement. Engagez-vous envers l'amélioration d'une ou deux choses chaque jour. Certains jours, vous vous efforcerez à tout simplement sourire ou rire davantage et ce sera bien assez. Il y aura aussi des jours où vous souhaiterez pouvoir changer complètement de personnalité. Mais si vous essayez d'en faire trop, trop vite, vous aurez alors de la difficulté à vous concentrer et rien ne changera. Alors, encore une fois, optez pour la simplicité!

Voici certaines des améliorations que j'ai notées dans mon propre journal quotidien de gratitude :

Aujourd'hui, j'aimerais changer les choses suivantes en ce qui me concerne :

♥ Être reconnaissante plus souvent d'avoir plus que bien d'autres.

♥ Sourire davantage. Rire davantage. Être plus légère. Avoir plus de plaisir.

♥ Admettre que je suis dans l'erreur lorsque c'est le cas. M'excuser lorsque c'est ma faute.

♥ Vivre l'instant présent. Accepter et apprécier tout ce qui se produit et chaque personne que je rencontre.

♥ Traiter toutes les personnes comme si elles étaient importantes.

♥ Utiliser mon temps sagement et ne pas le gaspiller.

Comme c'est le cas avec toutes les autres sections du journal quotidien de gratitude, celle-ci requiert de passer à l'action! Lorsque des choses négatives font surface, prenez-en conscience, et ensuite, sans hésiter, faites ce qu'il faut à cet instant-là pour créer un changement. Peu importe le problème, la solution peut s'avérer aussi simple que de modifier votre façon de penser ou d'agir. La plupart du temps, nous avons tout simplement besoin d'observer nos habitudes et de les changer en faisant un effort volontaire. Si, habituellement, vous restez silencieux ou imperturbable, faites tout simplement un compliment à quelqu'un, adressez un sourire ou offrez vos excuses. Il est possible de ressentir d'incroyables sensations autant à l'intérieur de soi qu'à l'extérieur. Si vous êtes impatient, travaillez à devenir plus patient, et si vous êtes en colère, souvenez-vous que tout n'est pas nécessairement grave. À la fin, votre colère vous cause seulement plus de douleur. Engagez-vous à être plus compréhensif et à faire preuve de plus de tolérance.

Si vous avez l'impression que vous vous démenez, essayez de vous en remettre à Dieu. Demandez-Lui qu'Il supprime la difficulté de votre vie. Chaque fois qu'elle revient, demandez à nouveau et à nouveau jusqu'à ce qu'elle disparaisse. Vous ne serez peut-être pas libéré (guéri) dès vos premiers essais, mais souvenez-vous que vous aurez des occasions de vous améliorer. Plutôt que de vous sentir malheureux, utilisez ce moment comme un tremplin pour vraiment grandir. Vous avez la chance de vraiment faire ce qu'il faut.

❧❧

« Je n'ai pas une très bonne opinion d'une personne
qui n'est pas plus sage aujourd'hui qu'elle ne l'était hier. »
ABRAHAM LINCOLN

❧❧

Laissez votre désir de grandir guider vos pensées et votre comportement tout au long de la journée. Pratiquez-vous à *être* la personne que vous désirez *devenir* dans *tous vos échanges* et *toutes vos relations*. Chaque jour que vous le faites, vous vous rapprochez de la lumière, de vous-même et de Dieu. Un jour viendra où vous ne serez plus en train de pratiquer parce que cette nouvelle manière de vous comporter *sera devenue* votre façon de vivre.

Faites un effort conscient pour transformer vos pensées afin que leur effet positif puisse annuler toute négativité que vous pourriez rencontrer. Évidemment, si vous affrontez une tragédie majeure, prenez le temps qu'il faut pour y faire face. Toutes les émotions que nous *ressentons* sont bonnes pour notre âme peu importe l'émotion dont il s'agit. Autrement dit, ne refoulez pas vos émotions, mais ressentez-les. Laissez-les *se manifester* sans toutefois *devenir* ces émotions. Vivez vos émotions tout en sachant qu'à un moment donné, vous devrez passer à autre chose.

Nous avons beaucoup parlé de planification et d'objectifs dans ce livre. Il n'en demeure pas moins que malgré toute cette planification et cette fixation de buts, il faut tenir compte d'une chose très importante. Nous ne pouvons voir que ce que nous sommes capables de voir à ce stade-ci de notre évolution. Ce qui est fascinant en matière de développement personnel est qu'à mesure que *nous* changeons, nos besoins et nos buts changent aussi de manière imprévisible. Et nous nous ajustons à nos besoins étant donné que notre croissance personnelle exige, de temps à autre, des ajustements mineurs ou majeurs.

Il semble que certaines révélations peuvent être facilement oubliées si nous n'en prenons pas note. Écrivez-les dans un journal si cela peut vous aider, mais sachez que le plus important au sujet de ces informations est qu'il faut les *utiliser*. Si vous commencez à ressentir fortement dans votre for intérieur que vous n'êtes pas bien, soyez très attentif à ce que vous ressentez et laissez-vous guider afin de rajuster votre tir.

La vie est un parcours, alors soyez attentif à vos émotions pour découvrir votre authenticité. Vivez chaque jour comme si vous participiez à une merveilleuse aventure. C'est de votre vie dont il est question. Que pourrait-il y avoir de plus merveilleux ?

Créez-vous des habitudes qui vont durer toute votre vie

S'il y a quelque chose que vous désirez vraiment changer en ce qui vous concerne, assurez-vous de l'écrire chaque jour dans votre journal quotidien de gratitude pendant vingt et un jours consécutifs. Les anciennes habitudes requièrent un effort conscient pour arriver à s'en défaire. Vous aurez peut-être seulement à remplacer l'ancienne habitude par quelque chose de nouveau ou il faudra réessayer cent fois avant qu'un nouveau comportement remplace l'ancien. Mais, en faisant des efforts soutenus et en ayant de la compassion pour vous-même, vous récolterez les fruits d'une nouvelle liberté. Une fois que vous sentirez que le changement est introduit dans votre vie (en ayant fait de votre mieux), passez à quelque chose de nouveau. Concentrez-vous sur un autre aspect qui nécessite un changement. Chaque victoire remportée vous donnera d'autant plus de raisons d'être reconnaissant et il vous procurera un sentiment intense de gratitude.

Aujourd'hui, j'ai choisi de vivre ma vie conformément à ma croissance personnelle. Je cherche constamment à établir ma responsabilité face aux événements qu'ils soient *bons ou mauvais* et à trouver des façons de m'améliorer. Mais, bien des fois, je me surprends à agir ou penser d'une façon qui me met mal à l'aise. Je sens que je retombe dans mes mauvaises habitudes et je n'aime pas cela. À ce moment-là, je m'arrête et je me regarde. *Étais-je en train de juger ? Est-ce que j'étais en train de créer des attentes démesurées envers une autre personne ou moi-même ? Est-ce que je rejetais la faute sur quelqu'un ou quelque chose d'autre, plutôt que d'accepter ma responsabilité ? Est-ce que j'avais fait une tempête dans un verre d'eau ? Est-ce que j'avais raté un moment merveilleux parce que je souhaitais me trouver ailleurs ?*

Nous sommes tous des œuvres d'art inachevées. La seule chose que nous pouvons faire, c'est faire de notre mieux. Voyez vos défauts comme des pierres d'achoppement qui finissent par vous empêcher d'être heureux. Ayez le courage de vous en débarrasser. Si cela vous semble impossible, priez pour qu'ils disparaissent. Laissez votre désir de grandir guider vos pensées et votre comportement. Comme les pensées affligeantes qui vous étouffaient n'auront plus de place dans votre vie, elles seront bientôt remplacées par une confiance, un espoir et un enthousiasme nouvellement découverts.

Vous adopterez une nouvelle façon de penser plus affirmative. Votre cœur s'ouvrira et vos relations seront plus fructueuses. Votre niveau de stress diminuera et vous vous sentirez plus léger et en paix que jamais. La passion et la réussite se présenteront à vous… *dans tous les domaines de votre vie.*

CHAPITRE 16

VOTRE LISTE DE CHOSES À FAIRE

« Ne laissez pas ce que vous êtes incapable de faire vous empêcher de faire ce dont vous êtes capable de faire. »
JOHN WOODEN

Au début de ce livre, je vous ai fait une promesse que j'ai l'intention de garder. J'ai dit que *si* vous travailliez à l'aide du journal quotidien de gratitude tous les jours, vous deviendriez « une personne qui termine ses projets » dans tous les domaines de votre vie. Eh bien, ce ne serait pas une véritable promesse s'il n'y avait pas une section dans votre journée dédiée à coordonner des idées décousues. Voici comment nous allons garder cette promesse, et ce, à l'aide d'une *liste de choses à faire écrite* dans votre journal quotidien de gratitude.

Pourquoi certaines personnes semblent-elles posséder tout le temps du monde tandis que d'autres se plaignent de ne jamais en avoir assez ? Peu importe ce qu'elle est, l'endroit où elle demeure ou ce qu'elle fait, chaque personne au monde a une chose en commun avec les autres et, c'est du *temps!* Nous avons tous exactement vingt-quatre heures à notre disposition dans une journée pour faire ce que nous avons à faire. Oprah

Winfrey, Bill Gates et Donald Trump ont tous vingt-quatre heures par jour. Gandhi, mère Teresa et Martin Luther King, Jr. les avaient aussi. Souvenez-vous de cela et vous ne vous permettrez plus jamais d'utiliser l'excuse comme quoi vous n'avez pas de temps. Ce n'est pas *le temps dont vous disposez* qui compte, c'est ce que vous *faites* avec ce temps qui fait toute la différence.

❦❧

« *Un manque de temps est en fait un manque de priorités.* »
TIM FERRISS

❦❧

Dans ce livre, j'ai fait ressortir l'importance de prendre du temps pour vous pour que vos rêves et vos buts deviennent une priorité. Cependant, ce n'est pas parce que vous êtes centré sur vos objectifs que vous devriez ignorer toutes les autres tâches quotidiennes et toutes les choses à faire de votre liste qui requièrent votre attention. Ces tâches sont tout aussi importantes que vos objectifs quotidiens, et dans certains cas, elles le sont encore plus. Si elles ne l'étaient pas, l'épicerie ne serait jamais faite, vos chèques de paie ne seraient jamais déposés dans votre compte de banque, l'appel que vous faites chaque semaine à votre mère serait oublié et votre loyer ne serait pas payé à temps.

Comment une chose telle que de remettre un rendez-vous chez le médecin ou ne pas payer les comptes à temps peut-elle vous accabler et vous faire dévier potentiellement de vos buts ? Vous souvenez-vous de la loi universelle du lâcher prise ? « Tout ce à quoi je résiste, persiste! » Cette douleur au bras ne disparaîtra pas seulement parce que vous avez choisi de l'ignorer. Et les agents de recouvrement n'arrêteront pas de vous appeler seulement parce que vous avez décidé que vous ne pouviez pas les payer *maintenant*. Croyez- moi, je le sais par expérience!

Vous ne pouvez pas fuir la réalité et vous ne pouvez pas éviter l'inévitable. Plus vous remettrez quelque chose et plus vous serez stressé à son sujet. Quelle perte de temps! Oublier n'est pas une excuse et être trop occupé ne fait pas en sorte que les choses se font non plus. Par contre, si vous vous concentrez sur ces choses, alors là, vous arriverez à les faire! Si vous preniez quelques minutes chaque jour pour écrire tout ce qui doit être fait, vous pourriez, alors, passer le reste de la journée à *les faire*.

Pensez à votre liste de choses à faire comme un prolongement de vos buts, c'est-à-dire un outil de gestion utile qui vous assure la réussite dans tous les domaines de votre vie. Il ne s'agit pas d'insister sur les choses qui ont tendance à vous accabler chaque jour. Il s'agit plutôt de les faire pour que vous puissiez vivre sans subir de stress inutile. Une liste écrite de choses à faire précise agira non seulement comme un aide-mémoire des choses qui requièrent votre attention, mais elle vous aidera également à gérer toute votre journée. Et lorsque chaque tâche sera complétée, vous ressentirez l'intense satisfaction d'avoir accompli quelque chose, tout comme c'est le cas lorsque vous réalisez vos objectifs.

Il est important de donner priorité aux choses qui se trouvent sur votre liste de choses à faire en vous assurant d'y indiquer uniquement les choses qui *devraient* être faites ce jour-là. Autrement, vous allez vous retrouver avec trop de choses à faire et rien ne sera fait.

Vous savez qu'il faut donner priorité à une chose :

- ♥ lorsqu'il faut absolument que ce soit fait *aujourd'hui;*
- ♥ lorsque votre qualité de vie en sera améliorée;
- ♥ lorsque vous allez l'avoir en tête jusqu'à ce que ce soit fait;
- ♥ lorsque cela vous aidera sur le plan de votre croissance personnelle.

Voici un exemple de certaines choses qui pourraient se retrouver sur votre liste :

- ♥ aller chercher les vêtements chez le nettoyeur;
- ♥ rencontrer Alexandre au café à 14 heures;
- ♥ inscrire Julie au soccer;
- ♥ payer la facture du téléphone;
- ♥ rappeler Philippe pour confirmer la rencontre de la semaine prochaine;
- ♥ prendre rendez-vous pour l'examen médical du chat;
- ♥ méditer pendant dix minutes à l'heure du lunch.

S'il y a une tâche sur votre liste qui est une réelle priorité, exécutez-la comme s'il s'agissait de l'un de vos buts quotidiens. Et si, pour une raison ou une autre, vous n'arriviez pas à la faire, assurez-vous de la reporter sur la liste du jour suivant. Vous ne pouvez pas mettre les tâches à faire aux oubliettes. Elles existent et si vous essayez de les minimiser ou de les ignorer, alors elles vont continuer à s'accumuler avec le temps et vous aurez de plus en plus le sentiment de ne pas être à la hauteur et d'avoir échoué. En fin de compte, si vous vous sabotez à ce niveau, vous serez probablement apathique en ce qui concerne vos buts aussi.

Si vous prenez trop de temps pour vous occuper des tâches importantes, la pression s'accentuera et vous éloignera potentiellement de votre travail de croissance personnelle. La confusion, la culpabilité ou le besoin de faire des reproches pourraient commencer à vous gagner et cette sensation bizarre d'une tâche inachevée vous suivra jusqu'à ce que vous vous en occupiez. On ne parle plus de croissance personnelle dans ce cas-là, mais plutôt de régression personnelle.

CHAPITRE 17

NOTES ET INSPIRATION

❧

« Un mot est un bourgeon qui tente de prendre vie.
Comment ne peut-on pas rêver en écrivant ?
C'est la plume qui rêve.
La page blanche nous accorde le droit de rêver. »
GASTON BACHELARD

❧

Quel incroyable parcours jusqu'à maintenant! Êtes-vous d'accord ? Tout d'abord, nous avons trouvé la voie vers une spiritualité plus intense ainsi qu'une confiance et un bonheur plus grands grâce à la pratique continue de la gratitude. Ensuite, nous avons parlé de la manière d'obtenir tout ce que vous désirez en vous fixant des buts et en vous concentrant activement sur leur atteinte. Nous avons couronné le tout d'une dose importante de prise de conscience et de développement personnel. Et finalement, nous avons découvert le secret « des gens qui terminent ce qu'ils ont commencé » pour que vous puissiez réussir dans tous les domaines de votre vie. Mais attendez, ce n'est pas tout à fait fini! Il reste une dernière section à lire avant que nous ayons terminé.

J'ai déjà expliqué que le bonheur parfait ne pouvait pas être possible sans équilibre autant sur le plan spirituel, émotionnel, intellectuel que physique. L'équilibre englobe tous les domaines de notre vie et on ne peut en profiter pleinement s'il reste des aspects pour lesquels on ne prend pas la totale responsabilité. La section sur les *Notes et Inspirations* de votre journal sert de conclusion pour vous permettre d'atteindre un tel équilibre en vous concentrant sur les pensées et les émotions plus *créatives* qui subsistent en vous et qui vous supplient de les laisser s'exprimer.

Cette partie est votre section pour que vous puissiez y formuler tous vos désirs les plus chers. Utilisez-la pour vous faire progresser d'une certaine façon ou pour vous rendre la vie plus facile.

Comme le titre du chapitre le suggère, utilisez cette partie pour différentes raisons :
- un endroit où inscrire vos affirmations quotidiennes;
- pour noter des numéros importants, vos citations préférées, des titres de livres, des dates, des mémos à dicter, etc.;
- un endroit où inscrire des idées ou des moments inspirants de la journée, des entreprises avec qui communiquer, des échéances, des recettes, etc.;
- un journal où indiquer vos progrès et faire le suivi des nouveautés et des réalisations spécifiques, comme par exemple, combien de pages avez-vous écrites, votre session d'entraînement au centre de conditionnement physique (nombre de répétitions/d'étapes et le nom des exercices), vos repas si vous suivez de près votre alimentation, vos prières, vos écrits, vos lectures, vos devoirs, les jours où vous n'avez pas fumé, le poids perdu, votre rémunération, les buts atteints, les sorties, les spectacles, etc.;
- un calendrier pour indiquer le nombre de jours travaillés au sein du programme ou toute autre nouvelle habitude que vous tentez de vous inculquer;

- du gribouillage, des dessins, votre tableau de vision, des découpures, etc.

Que vous décidiez d'utiliser cette section comme bloc-notes, calendrier, journal où indiquer vos progrès ou à titre de thérapeute personnel, ce que vous décidez d'écrire n'a vraiment aucune importance. C'est *votre* espace et vous y faites ce que vous voulez. Vous pourriez le laisser en blanc. Certains jours, c'est ce que je fais.

UN RÉSUMÉ RAPIDE
VOTRE JOURNAL QUOTIDIEN DE GRATITUDE

౿ఴ

« Pour arriver où nous sommes rendus,
il a fallu commencer où nous étions. »
ROBERT LOUIS STEVENSON

౿ఴ

De la gratitude et des buts en passant par la croissance personnelle et les tâches à accomplir, tout est sur une page : *la page du journal quotidien de gratitude*. Voici un bref résumé de section en section pour vous indiquer comment bien travailler avec votre journal quotidien de gratitude quotidien, pour que vous puissiez en tirer le meilleur parti possible et réaliser tout ce dont vous avez toujours rêvé.

La date d'aujourd'hui…

Même la date peut être importante quand vient le temps d'avoir la vie de vos rêves.

Par exemple, chaque fois que je vise un objectif de vingt et un jours, que j'essaie de créer une habitude issue d'un nouveau comportement, j'inscris chaque jour en écrivant son numéro (jour 1, 2, 3 … 21) dans le coin supérieur droit de la page. De cette façon, je peux être honnête en ce qui a trait à mes progrès et m'assurer ainsi de pouvoir recommencer à nouveau, si j'ai sauté une journée.

Utilisez la date comme moyen significatif pour vous responsabiliser et rester toujours sur la bonne voie.

La date du jour peut également être utilisée à titre de calendrier pour planifier vos objectifs, vos tâches ou certains événements.

Aujourd'hui, j'ai de la gratitude pour...

Le but de cette section est de changer votre façon de penser pour qu'elle devienne positive, vous ouvre à de nouvelles possibilités et vous rapproche de Dieu.

Il y a pour ainsi dire une quantité infinie de raisons pour vous d'être reconnaissant. Vous n'avez qu'à en choisir quatre en ce qui vous concerne.

Indiquez brièvement pour quelle chose ou quelle personne vous avez de la gratitude. Dites « merci » pour cette personne, cette chose ou cette situation. Reconnaissez de manière consciente que vous avez de la gratitude envers quelqu'un ou quelque chose (la Source Divine) de plus grand que vous. Il est encore plus important de vous concentrer sur *la raison* pour laquelle vous éprouvez de la gratitude (c'est-à-dire les avantages que vous en tirez). C'est à ce moment-là que le véritable sentiment de gratitude s'installe.

- ♥ Assurez-vous de faire preuve de gratitude pour *tous* les domaines de votre vie en portant une attention particulière aux choses qui vont dans le sens de vos buts.
- ♥ Soyez reconnaissant du passé, du présent et de l'avenir.
- ♥ Soyez reconnaissant en le ressentant vraiment. Ne faites pas seulement qu'écrire des mots, mais ressentez la gratitude.
- ♥ Ayez toujours de la gratitude par anticipation pour au moins une chose qui vous arrivera dans l'avenir.
- ♥ Il n'y a rien qui puisse vous mettre dans le « mode amour » autant que d'exprimer de la gratitude avec une honnêteté véritable.

Mes objectifs à court terme sont...

Un but à court terme est une destination. Chacun vous donne une direction et une cible. Un à un et avec chacune des réussites, vos objectifs à court terme vous mèneront éventuellement à réaliser vos buts à long terme, et ultimement, à réaliser la vision que vous avez de votre avenir.

Écrivez les accomplissements que vous désirez réaliser dans les prochains jours, prochaines semaines ou prochains mois.

- ♥ Soyez bref, mais précis. Les dates, les échéances et autres plans peuvent changer, mais pour l'instant, il est important de savoir exactement ce que vous *voulez*.

- ♥ Vos buts à court terme sont la base de vos buts quotidiens.

Mes buts quotidiens sont...

Les buts quotidiens sont la meilleure façon de vous aider à avancer dans la direction où vous désirez aller. De jour en jour, avec chaque réussite, vous accroissez votre confiance, votre courage, votre expérience et vous acquérez la force pour vous permettre d'atteindre vos buts à court terme.

Écrivez vos buts quotidiens en ayant des intentions nobles et un engagement réel à faire en sorte qu'ils se réalisent.

- ♥ À moins qu'il n'y ait autre chose qui nécessite votre attention immédiate, un de vos buts quotidiens devrait vous amener à réaliser au moins un de vos objectifs à court terme.

- ♥ À nouveau, soyez précis. Plus vous le serez, plus vous augmenterez vos chances de réussite.

Les actions requises...

Chaque action requise est une petite, mais combien importante, activité pour vous permettre d'atteindre votre objectif quotidien.

♥ Écrivez au moins une action requise pour chacun des buts quotidiens. Soyez aussi précis que possible (comme par exemple, « écrire de 13 h à 15 h » ou « courir 5 kilomètres »).

Lorsque vous écrivez vos objectifs, gardez toujours ce qui suit en tête :

♥ Assurez-vous de toujours enregistrer vos progrès si cela vous aide à rester engagé envers vous-même.

♥ Essayez de reprendre toute période de temps perdue ou de combler chaque lacune pour atteindre vos objectifs quotidiens.

♥ Faites toujours de votre mieux, mais ne vous mettez pas martel en tête si vous ne réussissez pas.

Aujourd'hui, je voudrais changer les choses suivantes en ce qui me concerne...

Il n'y a personne qui s'aime *totalement*. Je suis certaine que même David Beckham, célèbre footballeur anglais, se regarde dans le miroir certains jours et qu'il voit des choses qu'il aimerait pouvoir changer! Voyez cette section comme le bureau de votre thérapeute personnel, c'est-à-dire l'endroit où vous êtes totalement honnête par rapport à ce qui se passe dans votre tête. Faites le premier pas pour devenir la personne que vous désirez devenir en acceptant que vos pensées, vos émotions et vos actions sont loin d'être parfaites. En les reconnaissant comme telles, *vous* aurez davantage le contrôle pour vous permettre de les changer.

Inscrivez un, deux ou même quelques changements positifs (mais pas trop) que vous opérerez ce jour-là.

♥ Soyez tout à fait honnête en ce qui a trait à vos défauts.

♥ Soyez responsable de vos pensées, de vos émotions et de vos actions et ne jetez jamais le blâme sur les autres pour ce que vous pensez, vous ressentez ou la manière dont vous vous comportez.

♥ Soyez le changement que vous recherchez en vous défaisant de vos mauvaises habitudes et en en créant de nouvelles (par exemple, je n'oublie pas d'être reconnaissante, de vivre dans l'instant présent et d'être patiente avec mes enfants. Et aussi, de respirer profondément).

♥ Priez Dieu et demandez-Lui de vous aider à avoir suffisamment de courage pour venir à bout des difficultés et affronter les échecs, de manière positive.

Choses à faire

Cette section est semblable à un papillon adhésif. Il s'agit d'un rappel vous permettant de terminer toutes les courses et toutes les tâches n'ayant rien à voir avec vos buts et qui doivent être achevées ce jour-là. Les listes de choses à faire peuvent être tout aussi importantes que vos buts. Si les tâches qui s'y trouvent ne sont pas accomplies, alors la vie n'est qu'une suite de petites choses non réglées qui finissent par vous créer le sentiment d'être dépassé par les événements.

Écrivez tout ce que vous voulez faire ce jour-là, de la liste d'épicerie aux appels importants que vous désirez passer.

♥ Si nécessaire, référez-vous à cette section et cochez les tâches à mesure qu'elles sont terminées, si cela peut vous aider.

♥ S'il y a une tâche que vous n'avez pas faite aujourd'hui, ajoutez-la à la liste du lendemain.

♥ Utilisez cette section pour maintenir l'équilibre entre la réalisation d'objectifs et la gestion de votre vie en général.

Notes et inspiration

Cette section peut être utilisée comme un rapport périodique ou un mini-journal afin d'enregistrer non seulement vos réussites au quotidien, mais également les obstacles qui surgissent parfois et viennent vous occasionner un défi. Elle peut également être utilisée pour enregistrer toute information intéressante et importante que vous pourriez obtenir au cours de la journée.

♥ Inscrivez vos progrès par rapport à un but en particulier.

♥ Notez tous les problèmes, toutes les difficultés et toutes les solutions.

♥ Prenez note de toute information obtenue au cours de la journée.

♥ Faites le suivi de tout ce que vous désirez!

N'oubliez pas que vous êtes en train *DE CRÉER LA VIE DONT VOUS RÊVEZ*. Alors, respectez votre engagement avec vous-même, n'abandonnez jamais et surtout… amusez-vous!

DEUXIÈME PARTIE

Le grand moment est arrivé…

Il est maintenant temps de passer à l'action!

(Faites des copies des pages suivantes du modèle de journal
quotidien de gratitude ou téléchargez-le à partir de
www.LaGratitudeEtVosButs.com)

Date du jour : _____

Aujourd'hui, j'ai de la gratitude pour :

1. _____

_____

2. _____

_____

3. _____

_____

4. _____

_____

Mes objectifs à court terme sont :

1. _____

2. _____

Mes objectifs quotidiens sont :

1. _____

Actions requises : _____

_____

2. _____

Actions requises : _____

_____

3. _____

Actions requises : _____

_____

Aujourd'hui, je voudrais me concentrer à améliorer les points suivants de ma personne :

1. _____

2. _____

3. _____

Choses à faire :

1. _____
2. _____
3. _____
4. _____
5. _____
6. _____

Notes et inspiration :

_____
_____
_____
_____
_____
_____
_____
_____
_____
_____
_____

RÉFÉRENCES BIBLIOGRAPHIQUES

PRÉFACE

Schucman, H. *Un cours en miracles.* Traduit de l'anglais par
Denis Ouellet en collaboration avec Franchita Cattani.
Montréal, Éditions du Roseau, 2005.
Heriot, D. (Directeur). Le Secret. Édition complète. Tuggeranong,
Australie, TS Productions LLC, 2006.

CHAPITRE UN

Casey, E. et J.D. Mann. *Why You Should Start a Business Today and
Recession Proof Your Income.* Success Magazine, Juin/Juillet 2008, p. 55.
Maltz, Dr Maxwell. *The New Psycho-Cybernetics.*
New York, Prentice Hall, 2002.
Peale, Norman Vincent. *La puissance de la pensée positive.* Montréal,
Le Jour, 1990.
Williamson, Marianne. *Un retour à l'amour.*
Paris, Éditions J'ai Lu, 2004, pages 158-159.

CHAPITRE DEUX

Shadyac, T. (Directeur). *Evan Le Tout-Puissant.*
Universal City, Universal Studios, 2007.
Walsch, Neale Donald. *Conversations avec Dieu :
un dialogue hors du commun.* Traduit de l'américain par
Michel Saint-Germain. Outremont, Ariane, 1997-1999.

CHAPITRE TROIS

Justice, Drs. B. et R. *Giving Thanks: The Effects of Joy and Gratitude on
the Human Body.* Successful Living Magazine, Automne 2007, p. 18-19.

CHAPITRE CINQ

Dingle, Dr. P. *Gratitude and Generosity.* 2008.
www.kindredmedia.com.au

CHAPTIRE SIX

Justice, Drs. B. et R. *Giving Thanks: The Effects of Joy and Gratitude on
the Human Body.* Successful Living Magazine, Automne 2007, p. 18-19.

CHAPITRE NEUF

Casey, E. et J.D. Mann. *Why You Should Start a Business Today and Recession Proof Your Income.* Success Magazine, Juin/Juillet 2008, p. 61.

Covey, Stephen R. *Les sept habitudes de ceux qui réalisent tout ce qu'ils entreprennent.* Traduction effectuée sous le contrôle de Catherine Cullen. Paris, First, 1996

Hill, Napoleon. *Réfléchissez et devenez riche.* Traduit de l'américain par Thérèse Gindraux. Montréal, Les Éditions de l'Homme, 2007.

King Jr., Martin Luther. *I have a dream : discours de Martin Luther King, 28 août 1963.* Suivi de La nation et la race: conférence d'Ernest Renan, 11 mars 1882. Paris, Points, 2009.

CHAPITRE DIX

Ferriss, Timothy. *La semaine de 4 heures : travaillez moins, gagnez plus et vivez mieux!* Traduit de l'anglais par Emily Borgeaud. Paris, Pearson, 2010.

CHAPITRE DOUZE

Munshi, P. P. *Set in Your Own Ways ?* The Hindu Business Line, www.blonnet.com

CHAPITRE TREIZE

Maltz, Maxwell. Psychocybernétique. Traduction, préface et annotations de Vaugrante de Novince. La-Ferrière-sur-Risle, France, C.-H. Godefroy, 1979.

CHAPITRE QUATORZE

Alcooliques Anonymes, troisième édition. New York, Alcoholics Anonymous World Services Inc., 1976.

Leary, M. R., Tate E. B. , Adams, C. E. Allen, A. B. et Hancock, J. *Self-Compassion and Reactions to Unpleasant Self-relevant Events: The Implications of Treating Oneself Kindly.* Journal of Personality and Social Psychology, May 2007, 92, pages 887-904.

SUGGESTIONS DE LECTURES POSITIVES

Vivre libre, sans peur! *Le secret de Ben*
(roman d'inspiration) *Mark Matteson*

Vivre libre, sans peur, pour toujours!
Le cadeau de mariage (roman d'inspiration) *Mark Matteson*

Votre plus grand pouvoir, *J.Martin Kohe*

Le Coach – découvrez l'unique clé du succès, *Luc Courtemanche*

La puissance des mots, changez vos paroles, tranformez votre vie,
Yvonne Oswald

Système de succès infaillible, *W.Clement Stone*

Croire et réussir – 17 principes de succès, *W. Clement Stone*

Réussir avec les autres, un plan simple en 6 étapes
pour jouir de relations humaines harmonieuses, *Cavett Robert*

La loi du succès (17 leçons en 4 tomes), *Napoleon Hill*

Droit au but, *George Zalucki*

Doublez vos contacts, *Michael J. Durkin - aussi en format CD*

Prospectez avec posture et confiance, *Bob Burg - aussi en format*
MP3 et CD

De l'or en barre, philosophie qui vaut son pesant d'or,
Judith Williamson et Napoleon Hill

Nos pensées, leur impact sur notre vie, *Agathe Raymond*

Agenda Performance (annuel)

La carte routière de VOTRE succès, *John C. Maxwell*

Journal quotidien de gratitude, *Stacey Grewal*

www.performance-livres.com

VOTRE PLUS GRAND POUVOIR

J. MARTIN KOHE

Un classique d'inspiration qui crée un changement dynamique dans notre vie dès la toute première journée. Impossible de rester inchangé après cette lecture vivifiante. Un petit livre…. un GRAND message!

Cette lecture aide à jouir d'un plus grand bonheur, à renforcer sa personnalité et à maîtriser les conditions de notre vie. Plusieurs personnes n'arrivent pas à réussir, et cela, même dans des périodes favorables, parce qu'elles n'utilisent pas leur plus grand pouvoir… **LE POUVOIR DE CHOISIR!**

D'autres personnes utiliseront ce grand pouvoir… **leur pouvoir de choisir…** et elles réussiront, même dans des temps difficiles, parce qu'elles refusent de laisser l'adversité les arrêter, elles persistent jusqu'à la réussite.

ISBN 978-2-923746-12-8 (livre) • ISBN 978-2-923746-14-2 (epdf) • ISBN 978-2-923746-15-9 (epub)

LE COACH
L'unique clé du succès
LUC COURTEMANCHE

Si vous avez lu divers ouvrages sur la loi de l'attraction et que vos rêves ne semblent pas se réaliser, donnez-vous une dernière chance et découvrez pourquoi.

Le Coach permet d'apprendre, et surtout de comprendre, pourquoi certains événements désagréables reviennent constamment sur notre chemin. Il nous dévoile quelques exemples pour faire la lumière sur les blessures et les barrières psychologiques non conscientes de notre personnalité qui souvent nous empêchent de poser les actions nécessaires afin d'obtenir l'abondance dans tous les domaines de notre vie. Il est possible de surmonter tous les obstacles, peu importe l'ampleur de votre échec.

Après avoir lu *Le Coach*, vous serez inspiré par la persévérance, le courage, la transparence et la pensée positive du personnage.

ISBN 978-2-923746-33-3 (livre) • ISBN 978-2-923746-34-0 (epdf) • ISBN 978-2-923746-35-7 (epub)

www.performance-livres.com

VIVRE LIBRE, SANS PEUR ! Le secret de Ben

MARK MATTESON

Ces deux livres sont tout simplement remplis de bonnes idées pour lutter contre la peur et enrichir notre vie. Ce sont des romans d'inspiration. C'est la découverte de vérités simples qui mènent à la richesse, à la joie et à la paix d'esprit.

Un accident d'auto à l'heure de pointe lors d'une chaude journée d'été n'est habituellement pas une expérience positive. Mais, lorsque David, déprimé et misérable, rencontre Ben suite à un accident de voitures plutôt désagréable, la toile de fond se prête bien pour raconter une expérience de vie riche et puissante. Involontairement, David se place entre les mains d'un maître motivateur et d'un ajusteur d'attitude. Au fur et à mesure que David commence à améliorer sa vision des choses et, par le fait même, sa vie, il découvre la multitude de moyens que Ben a utilisés pour aider un nombre incalculable de personnes.

Mettre en pratique les multiples enseignements que Ben prodigue si généreusement, aide à libérer de toute forme de peur et d'être en paix avec sa vie personnelle, professionnelle et spirituelle.

ISBN 978-2-923746-44-9 (livre) • ISBN 78-2-923746-45-6 (epdf) • ISBN 978-2-923746-46-3 (epub)

VIVRE LIBRE, SANS PEUR, POUR TOUJOURS ! Le cadeau de mariage

La vie n'est pas juste. Pourquoi de mauvaises choses arrivent-elles à de bonnes personnes? Pourquoi de bonnes choses arrivent-elles à de mauvaises personnes? Chacun de nous, à différents moments de notre vie avons besoin d'un coach ou d'un mentor. C'est ce que Ben était. Si vous êtes prêt et désireux d'apprendre, il vous enseignera et vous inspirera à retirer le maximum du reste de votre vie sur la terre.

MARK MATTESON est conférencier, auteur et consultant à l'échelle internationale. Il est qualifié de raconteur d'histoires particulièrement doué, d'élève de la rue, de reporter d'idées et de conférencier humoriste. Il est auteur et conférencier. Mark Matteson inspire les gens, les organisations et les associations à fixer leurs buts de performance personnelle et professionnelle à un niveau plus élevé et à les atteindre.

ISBN 978-2-923746-07-4 (livre) • ISBN 978-2-923746-29-6 (epdf)

ISBN 978-2-923746-30-2 (epub)

www.performance-livres.com

LA PUISSANCE DES MOTS

YVONNE OSWALD

«Des milliers de mots que vous utiliserez aujourd'hui, pourquoi ne pas les faire travailler à votre avantage ? Dirigez votre destinée dès maintenant avec vos pensées et votre langage et préparez-vous à faire l'expérience de résultats mesurables et étonnants. »

Raymond Aaron, auteur de bestsellers

Les mots ont une puissance. Chaque mot que nous pensons et prononçons ne décrit pas seulement notre monde mais, en fait, il le crée. Les mots ont un impact profond sur notre vie. De plus, notre dialogue personnel produit 100% de nos résultats. Dans ce livre novateur et pratique, Yvonne Oswald nous enseigne de quelle façon filtrer les mots qui ne nous apportent aucun soutien afin de produire des résultats étonnants, de changer notre perspective, nos relations et de développer l'habileté de manifester nos désirs les plus profonds. La méthode facile à suivre mêle de façon holistique la science du langage, le bien-être physique et un nettoyage émotionnel. Les ''clés du succès et du bonheur'' nous reconnectent à notre puissance originale et à notre compréhension afin d'en profiter tout au long de notre vie.

La puissance de vos paroles charme tous nos sens et nous soumet des moyens puissants quoique simples pour créer un changement. Des suggestions, des exercices, des scripts, des histoires, des métaphores et la science s'entremêlent pour créer un mélange dynamique de croissance personnelle quantique qui immédiatement fait démarrer notre transformation.

L'auteure, Yvonne Oswald, est une thérapeute et une médiatrice hautement respectée; elle est aussi professeure et entraîneure en hypnothérapie. Elle fait souvent partie d'émissions de télévision régionale et nationale et elle encourage la croissance personnelle et le développement.

Yvonne Oswald

La PUISSANCE des MOTS

COMMUNICATION

CHANGEZ VOS PAROLES, TRANSFORMEZ VOTRE VIE!

Performance Éditeur

ISBN 978-2-923746-22-7 (livre)
ISBN 978-2-923746-23-4 (epdf)
ISBN 978-2-923746-24-1 (epub)

www.performance-livres.com

LA CARTE ROUTIÈRE DE VOTRE SUCCÈS

JOHN C. MAXWELL

Une stratégie simple pour entreprendre un voyage vers votre succès. La définition du succès n'est pas la même pour chacun. D'un autre côté le processus pour y arriver est le même. Réussir, c'est de connaître votre objectif de vie, de croître afin d'atteindre votre plein potentiel et de semer des graines qui profiteront à d'autres personnes.

Lorsque vous percevez le succès comme un voyage, vous ne faites jamais l'expérience d'essayer d'arriver à une destination finale insaisissable.

La Carte routière de VOTRE succès est un livre dont la compréhension et la valeur aideront les lecteurs à entreprendre un voyage pour lequel ils ont été créés, à continuer à avancer, à vivre leurs rêves et à compléter leur parcours comme les gagnants qu'ils sont.

JOHN C. MAXWELL est un conférencier reconnu à l'échelle mondiale et un expert sur le thème du leadership. Il est l'auteur de plusieurs livres qui ont été vendus à plus de 15 millions d'exemplaires. Son organisation a formé plus d'un million de leaders à travers le monde.

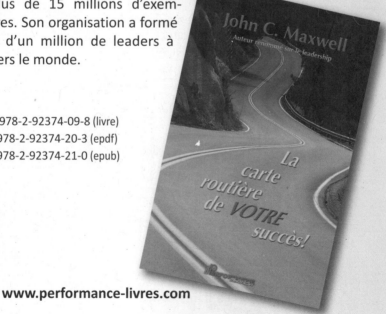

ISBN 978-2-92374-09-8 (livre)
ISBN 978-2-92374-20-3 (epdf)
ISBN 978-2-92374-21-0 (epub)

www.performance-livres.com

NOS PENSÉES, LEUR IMPACT SUR NOTRE VIE!

AGATHE RAYMOND

Vous désirez apporter des changements à votre vie ou concrétiser un projet qui vous tient à cœur et qui reste en plan depuis trop longtemps ? Voilà le livre qu'il vous faut, car il vous donne des outils efficaces pour la mise en pratique d'un objectif! Vos pensées sont véritablement les meilleurs outils à votre disposition pour vous permettre de vous réapproprier tout votre potentiel et d'arriver à vos fins.

Grâce à ce livre, vous serez d'abord amené à prendre conscience de l'impact et des répercussions qu'ont vos pensées sur tous les plans de votre vie. Puis, vous apprendrez le fonctionnement de vos pensées afin de leur rendre leur pouvoir créateur et de les utiliser efficacement sur une base quotidienne, en votre faveur. Le but fondamental de ce livre sur la pensée créatrice est de vous fournir une méthode, une marche à suivre pour concrétiser facilement vos objectifs en apprenant à vous servir de vos pensées pour qu'elles deviennent des outils de création.

Découvrez sans plus tarder cet outil extraordinaire et puissant qui est à votre portée!

AGATHE RAYMOND est membre de l'Association nationale des naturothérapeutes et est aussi formatrice agréée et coach de vie. Depuis plus de 30 ans, elle se dédie corps et âme à la compréhension de l'Être dans sa globalité. L'objectif ultime qu'elle poursuit depuis toutes ces années est d'aider chaque personne à trouver sa voie, sa mission de vie, en se tournant vers son ressenti intérieur et en allant réellement puiser au plus profond de soi-même son véritable désir de réalisation. Son leitmotiv, « ouverture vers la libération de l'être » véhicule très bien le fondement de sa propre mission.

ISBN 978-2-923746-17-3 (livre)
ISBN 978-2-923746-18-0 (epdf)
ISBN 978-2-923746-19-7 (epub)

www.performance-livres.com

AGENDA ANNUEL

Beaucoup plus qu'un agenda pour planifier vos rendez-vous, cet outil exceptionnel contient :

- Une phrase de motivation journalière

- Une page en début d'année pour planifier vos buts

- Une page en début de chaque mois pour planifier vos buts du mois

- Une page en fin d'année pour évaluer votre progrès de l'année

- Un espace pour noter les anniversaires de vos proches

- Un texte d'inspiration positive en début de chaque mois

- Une « performance mensuelle » à accomplir durant le mois

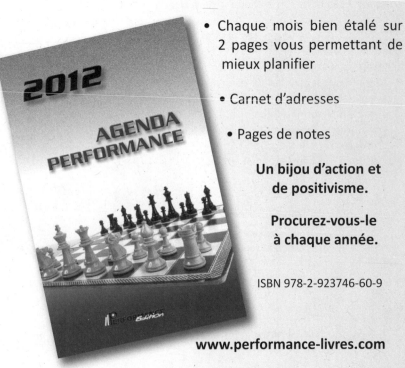

- Chaque mois bien étalé sur 2 pages vous permettant de mieux planifier

- Carnet d'adresses

- Pages de notes

Un bijou d'action et de positivisme.

Procurez-vous-le à chaque année.

ISBN 978-2-923746-60-9

www.performance-livres.com